LE LIBÉRALISME
DANS LA PENSÉE DE MICHEL FOUCAULT

Un Libéralisme sans liberté

Cette réédition reprend à l'identique le texte de l'ouvrage *Un Libéralisme sans liberté. Du terme « Libéralisme »* *dans la pensée de Michel Foucault* paru en octobre 2001.

Collection **La Philosophie en commun**
dirigée par S. Douailler, J. Poulain et P. Vermeren

Dernières parutions

John AGLO, *Les fondements philosophiques de la morale dans une société à tradition orale*, 2000.

Daniel ABERDAM (textes recueillis par*), Berlin entre les deux guerres : une symbiose judéo-allemande ?*, 2000.

Elfie POULAIN, *Franz Kafka : l'enfer du sujet ou l'injustifiabilité de l'existence*, 2000.

Stanislas BRETON, *Philosopher sur la côte sauvage*, 2000.

Véronique BERGEN, *L'ontologie de Gilles Deleuze*, 2001.

Páll SKULASON, *Le cercle du sujet dans la philosophie de Paul Ricœur*, 2001.

Anne-Françoise SCHMID,*Henri Poincaré, les sciences et la philosophie*, 2001.

Marie CUILLERAI, *La communauté monétaire. Prolégomèmes à une philosophie de l'argent*, 2001.

Hélène VÉDRINE (réédition), *Censure et pouvoir*, 2001.

Patrick VAUDAY, *La matière des images. Poétique et esthétique*, 2001.

Étienne TASSIN, *Les catégories de l'universel*, 2001.

Teresa MARIANO LONGO, *Philosophies et politiques néo-libérales de l'éducation dans le Chili de Pinochet (1973-1983)*, 2001.

Jean-Edouard ANDRE, *Heidegger et la liberté : le projet politique de « Sein und Zeit »*, 2001.

Annamaria CONTINI, *Jean-Marie Guyau esthétique et philosophie de la vie*, 2001.

Etienne TASSIN, *L'humaine condition politique Hannah Arendt*, 2001.

Valérie MARANGE, *Ethique et violence : critique de la vie pacifiée*, 2001.

Serge VALDINOCI, *Le feu de la pensée sacrée*, 2001.

Maria BONNAFOUS-BOUCHER, *Un libéralisme sans liberté*, 2001.

Jad HATEM, *L'inversion du maître et du serviteur*, 2001.

Anne-MARIE CORBIN, *L'image de l'Europe à l'ombre de la guerre froide*, 2001.

Collection « La Philosophie en commun »
*dirigée par Stéphane Douailler, Jacques Poulain
et Patrice Vermeren*

Maria BONNAFOUS-BOUCHER

LE LIBÉRALISME
DANS LA PENSÉE DE MICHEL FOUCAULT

Un Libéralisme sans liberté

L'Harmattan
5-7, rue de l'École-Polytechnique
75005 Paris
FRANCE

L'Harmattan Hongrie
Hargita u. 3
1026 Budapest
HONGRIE

L'Harmattan Italia
Via Bava, 37
10214 Torino
ITALIE

© L'Harmattan, 2001

ISBN : 2-7475-7211-0

Mes remerciements vont à André Tosel, Yves Michaud, ainsi qu'à Egidius Berns et à Henri Blanc,
à Patrice Vermeren qui accueille ce livre dans la collection « La Philosophie en commun »,
à Maud Edin.

Introduction

Je fais de l'ethnologie de notre rationalité.
Michel Foucault, *Dits et Écrits.*

Car ce que l'on appelle enquête – enquête telle
qu'elle est et a été pratiquée
par les philosophes du XVe au XVIIIe siècle et aussi par
les scientifiques,
fussent-ils géographes, botanistes, zoologues,
économistes –
est une forme assez caractéristique de la vérité dans nos
sociétés.
Michel Foucault, *Dits et Écrits*, II, 541 et ss.

Les textes rassemblés dans *Dits et Écrits* sont constitués de préfaces, d'introductions, de présentations, d'entretiens, d'articles et de conférences[1]. Écrits entre 1954 et 1984 – date de la mort du philosophe – l'ensemble de ces textes, loin de perturber la lecture de l'œuvre déjà connue, contribue au contraire à déployer des préoccupations théoriques et philosophiques majeures.

Le corpus de *Dits et Écrits* manifeste une tentative de constitution ou de reconstitution de la philosophie politique contre ou avec les concepts de la philosophie politique classique[2], mais aussi en cherchant à élaborer de nouveaux concepts comme ceux de gouvernement, de subjectivation, de biopolitique, et surtout de rationalité politique.

---

[1]. *Dits et Écrits* rassemble en effet des textes édités du vivant de Michel Foucault bien que certains aient été publiés après sa mort... Les vœux testamentaires étaient : « pas de publications posthumes ».
N.B. : T. 1, 1954 à 1969 ; T. II, 1970 à 1975 ; T. III, 1976 à 1979 ; T. IV, 1980 à 1988.
[2]. On entend par « philosophie politique classique » les textes allant d'Aristote à Hegel.

Écartant les anciens objets de la philosophie classique (État, droit, souveraineté, etc.), la construction de ces concepts s'effectue en articulant des registres inattendus : c'est ainsi par exemple, que le libéralisme est pensé à partir de notions qui lui sont *a priori* étrangères, comme celles de gouvernement ou d'expansion de la rationalité politique, et non semble-t-il, à partir de la liberté.

Ce texte soutient une hypothèse qu'il convient d'avérer. La pensée du libéralisme amorcée en 1978 par Foucault (simultanément à la notion de gouvernementalité) n'est pas un accident mais le point sur lequel s'articulent politique et philosophie politique. Ce point prolonge le rapport entre savoir et pouvoir, thématisé depuis *Histoire de la folie à l'âge classique,* en le brisant et en déniant aux strictes mécanismes du pouvoir l'exclusive du politique.

La pertinence du questionnement de Foucault apparaît donc à plusieurs niveaux.

Premier niveau : Le statut d'une rationalité politique est étroitement lié au moment libéral puisque celui-ci consacre l'expansion des rationalités (et non d'une rationalité monolithique) qui a des usages sociaux ; bien plus, dont les usages déterminent en partie la nature ou la naissance d'une épistémè[3]. Cette intuition était déjà

---

3. Voir les citations suivantes :

II, 28, in *Revue d'Histoires des sciences et de leurs applications*, n°1, janvier-mars 1970, commentaire de l'exposé de F. Dagognet, *La situation de Cuvier dans l'histoire de la biologie,* Journées Cuvier, Yvette Conry, François Dagognet, Michel Foucault, J. Piveteau : « J'appellerai épistémologique, l'analyse des structures théoriques d'un discours scientifique ; épistémocritique, l'analyse demandée à tout énoncé qui, à une époque donnée, a fonctionné et a été institutionnalisé comme scientifique. Elle analyse des procédures

présente au début des années 70.

« En écrivant l'*Histoire de la folie à l'âge
classique* ou la *Naissance de la clinique*, je pensais au
fond être en train de faire l'histoire des sciences :
sciences imparfaites, la psychologie, sciences flottantes,
comme les sciences médicales ou cliniques mais tout de
même histoire des sciences. Or dans *Les Mots et les
Choses,* j'ai compris que indépendamment de l'histoire
traditionnelle des sciences, une autre méthode était
possible, qui constituait en une certaine manière de
considérer moins le contenu de la science que sa propre
existence, une certaine manière d'interroger les faits [...].
Il fallait, laissant de côté le problème du contenu et de
l'organisation formelle de la science, rechercher les
raisons par lesquelles la science a existé ou par lesquelles
une science déterminée a commencé, à un moment
donné, à exister et à assumer un certain nombre de
fonctions dans notre société [...]. Il s'agissait en somme,
de définir le niveau particulier auquel l'analyse doit se
placer pour faire apparaître l'existence du discours
scientifique et son fonctionnement dans la société [...].
Mais il est très difficile d'entreprendre l'analyse des
relations entre savoir et société [...]. J'ai essayé à partir
de l'anatomie et de la physiopathologie – qui sont
finalement de véritables sciences – d'identifier le
système institutionnel et l'ensemble des pratiques

---

expérimentales qui ont été utilisées pour valider cet énoncé. » II,
173, 370, 371 : « Quand je parle d'épistémè, j'entends tous les
rapports qui ont existé à une certaine époque entre les différents
domaines de la science. Par exemple, utiliser pour la recherche en
physique, la linguistique, la sémiologie, la science des signes, la
biologie pour les messages génétiques, la théorie de l'évolution par
exemple ont servi de modèles aux historiens, et aux psychologues du
XIXe siècle.» II, 162.

économiques et sociales qui ont rendu possible, dans une société, une médecine qui est malgré tout une médecine scientifique. »

On le voit, ce serait un non-sens de croire que Foucault pense le politique à partir de ce qui le représente, qu'il s'agisse de l'État ou qu'il s'agisse de ses appareils jusqu'au plus bas échelon (intégration de la loi positive dans la quotidienneté des individus ou dans l'affirmation de la violence légitime de l'État – la prison). Cette allégation n'est pas démentie par l'une des dernières conférences de Foucault (1983) auprès d'étudiants américains.

« Comment se pose la question du politique ? En fait depuis Kant, le rôle de la philosophie est d'empêcher la raison d'excéder les limites de ce qui est donné dans l'expérience ; mais depuis cette époque aussi – c'est-à-dire depuis le développement de l'État moderne et de la gestion politique de la société – la philosophie a également pour fonction de surveiller les pouvoirs excessifs de la rationalité politique. »

Au développement du contrôle de la rationalité politique, on oppose donc un autre contrôle qui fixe les limites des techniques politiques ; c'est de cette fonction politique et sociale que la philosophie est finalement investie, non pas de manière institutionnelle mais en son âme et conscience. Or, constate Foucault, face à l'ampleur de cet objectif pratico-théorique – qui engage le philosophique dans une veille voire dans une volonté de savoir inversée –, les concepts et les outils philosophiques manquent pour comprendre le champ politique et particulièrement celui de notre époque.

« Il se trouve que nous disposons, grâce à l'histoire et à la théorie économiques, d'instruments adéquats pour étudier les rapports de production ; de même que la linguistique et la sémiotique fournissent des instruments à l'étude des relations de sens. Mais, pour ce qui est des relations de pouvoir, il n'y avait aucun outil défini ; nous avions recours à des manières de penser le pouvoir qui s'appuyaient soit sur des modèles juridiques (qu'est-ce qui légitime le pouvoir ?) soit sur des modèles institutionnels (qu'est-ce que l'État ?) ».

Permettant de surmonter ce handicap, des pistes sont données, déjà à l'œuvre au début des recherches de Foucault :

« Ce style de recherche a pour moi un intérêt : il permet d'éviter le problème de l'antériorité de la théorie par rapport à la pratique et inversement ».(...) « Je traite en fait sur le même plan, et selon leurs isomorphismes, les pratiques, les institutions et les théories, et je cherche le savoir commun qui les a rendues possibles, la couche du savoir constituant et historique[4]. » (...) « La conceptualisation ne doit pas se fonder sur une théorie de l'objet : l'objet conceptualisé n'est pas le seul critère de validité de la conceptualisation. Il nous faut connaître les conditions historiques qui motivent tel ou tel type de conceptualisation[5]. »

Il s'agit pour notre philosophe d'une « excavation sous nos pieds[6] ».

Cependant et concernant la méthode adoptée par Foucault, ce qui est étrange, est que, contrairement à Habermas, qui s'emploie dans le domaine des sciences humaines à répertorier des concepts opératoires, à les valider en déterminant des typologies et des situations contemporaines, Foucault lui, s'appuie sur un commentaire serré de textes ou bien canoniques ou bien marginaux de l'histoire de la philosophie. *Confer* par

---

4. *Dits et Écrits.*
5. Ibidem.
6. Ibidem.

15

exemple le volume de ses cours au Collège de France, de 1976-1977, intitulé par les éditeurs *Il faut défendre la société*. S'agit-il là d'une véritable distorsion méthodologique ? Ou bien d'une revendication archéologique, de nature à réaliser une généalogie des concepts mis en place par Machiavel, Frédéric II et Hobbes (pour ne citer qu'eux) ? Quoi qu'il en soit, il nous faut comprendre pourquoi la question du libéralisme comme aboutissement de la relation pouvoir / savoir n'est ni réfléchie à partir des textes fondateurs des sciences humaines et économiques, ni à partir des références fondamentales des théoriciens et philosophes du libéralisme, exception faite de Hayek. Quelles sont les raisons implicites ou explicites permettant de fonder un tel choix ?

Deuxième niveau : S'il y a bien une scène datée dans la pensée de Foucault (théorie du pouvoir, fait social comme domination, microphysique du pouvoir) elle ne saurait prendre le pas sur l'ensemble de la trajectoire. En fait, *Dits et Écrits*, dans une contiguïté de textes théoriques et circonstanciels, choisit de prendre à bras-le-corps les questions sociétales qui animent la fin du XXe siècle, et qui sont aussi des questions de philosophie politique. Dans le cadre d'une reconfiguration politique du philosophique, Foucault n'a pas éludé la place du développement des sciences, et de leur utilisation dans un système politique donné – le régime démocratique. En choisissant de préciser systématiquement et historiquement les pratiques d'inclusion et d'exclusion de populations considérées dans un même registre au regard de l'histoire de la loi, il décide avant l'heure de s'interroger sur ce point aveugle d'une troisième révolution industrielle, c'est-à-dire le vagabond, encore appelé en termes techniques « sans domicile fixe ». L'errance dans les grandes capitales du globe, hier cantonnée au Tiers-Monde, serait probablement à comparer avec le vagabondage médiéval. Et le statut différent donné à l'exclusion (dans son rapport à l'internement et à l'enfermement) en fonction des périodes historiques dans un régime démocratique permettrait de comprendre la fonction d'une misère limite, et métonymique de sociétés démocratiques en révolution (au sens propre du terne).

A nouveau la question des prisons, de l'incarcération, est posée dans des termes similaires à ceux qu'employait déjà Foucault en 1972 alors qu'il s'engageait dans le mouvement du GIP. En France, une réforme de la justice est en cours pour contrecarrer l'assaut des dossiers judiciaires auprès des tribunaux concernés, le manque de place dans les prisons, les mutineries récurrentes, les suicides, la transmission des maladies, l'inefficacité prouvée par le personnel judiciaire (juges, avocats, police) du dispositif des peines, et de l'ensemble de l'appareil carcéral, facteur lourd de délinquance. Le problème des prisons est devenu hors de la France d'une acuité telle qu'il est, après l'éducation, la première question sociale mobilisant les citoyens américains. Le pourcentage de la population américaine incarcérée représente presque 2% de l'ensemble de la population des États-Unis. Comment, dès lors, une telle société peut-elle maintenir son rôle de garant et de modèle démocratique au regard de ses idéaux affichés ?

On mentionnera par ailleurs la question transversale posée par Foucault à la faveur d'une approche théorique des organisations – institution, usine, bureau, etc. Qu'est-ce qu'une organisation quelle que soit sa fonction : institution, entreprise, etc ? Et à l'intérieur de ces organisations comment s'élabore de la résistance voire de l'inertie ? Quel recoupement doit-on trouver entre *lumpenprolétariat* et exclus ou marginaux, entre conscience collective et savoirs collectifs de ceux-ci, entre droit à la parole et rôle des minorités ? Bien plus, que signifient les revendications des minorités sexuelles constituées comme minorités sociales ? Tous ces phénomènes qui apparaissaient très datés, très « post-soixante-huit », ont été soulignés par Foucault comme autant d'impensés et de contradictions de la démocratie libérale, et comme autant de non-dits dans la philosophie politique.

Pour finir, on se souviendra des propos de Foucault qui dans un style polémique, « criard » selon ses propres aveux, s'attachait à expliquer l'extension possible de l'histoire de la prison[7].

« Le type de scandale « européen » –disons plutôt de scandale ancien, celui du XIXe siècle –, c'était l'affaire Dreyfus où tout l'appareil d'État, jusqu'au plus haut niveau, est compromis dans la persécution de celui qui n'était pas coupable. Le type du scandale américain, c'est le Watergate où du délit mineur on remonte de proche en proche au réseau des illégalismes permanents selon lesquels fonctionne l'appareil du pouvoir. »

Il y a là quelque chose de surprenant et qui donne une configuration très concrète, très risquée du renouvellement de la question du politique. Le politique n'est pas évanescent.

« J'attribue à la politique le sens de lutte pour le pouvoir, mais il ne s'agit pas d'un pouvoir entendu au sens de gouvernement ou d'État, il s'agit d'un terme qui

---

7. *Confer* la préface à *Leurs prisons. Autobiographies de prisonniers américains,* Bruce Jackson, 1975.

comprend aussi le pouvoir économique[8]. »

Troisième niveau : La relation implicite qu'effectue Foucault entre politique et économie des organisations, en décrivant une rationalité politique spécifique au libéralisme et en circonscrivant théoriquement certains mécanismes des organisations, n'a pas échappé aux théoriciens de la gestion. C'est ainsi que des chercheurs en management, qui adoptent une position critique vis-à-vis de leur savoir, « vont puiser des instruments propres à éclairer des éléments de la théorie des organisations comme la théorie du contrôle. C'est en particulier le cas de tout un courant de pensée qui s'est développé autour d'une interprétation formelle de *Surveiller et punir* en Grande-Bretagne (T. Hopper et N. Macintosh). Ces auteurs soulignent en effet l'intérêt de la méthode archéologique et généalogique en management. Ils citent ainsi les travaux menés par A. Loft en 1986 pour interpréter le développement de la comptabilité de gestion en Grande-Bretagne en la considérant comme une véritable pratique sociale[9] ».

Le système de visibilité et de calcul à l'œuvre dans l'entreprise est mis en parallèle avec le fait de réaliser les choses de façon à ce qu'elles induisent une continuelle amélioration pour attacher les gens au travail. A. Loft offre une synthèse de ce type de travaux dans son

---

[8]. II, 380, *Les Problèmes de la culture.* Un débat Foucault-Preti
Il Bimestre, septembre-décembre 1972.
[9]. Yvon Pesqueux, professeur au CNAM. Un travail de synthèse concernant la réception et l'utilisation en contrôle de gestion de la pensée de Foucault a été réalisé en 1996-1997 par Yvon Pesqueux, alors professeur au Groupe HEC Paris. Ce travail critique est à replacer dans *La Nouvelle Comptabilité des coûts,* Y. Pesqueux, Bernard Martory, PUF Gestion, 1995.

ouvrage intitulé *Issues in Management Accounting*. Elle souligne que Foucault n'a pas écrit directement sur l'histoire du management mais que son approche peut y être aisément transférée dans la mesure où elle rend compte du lien entre contrôle et développement de la technique. A. Loft va donc franchir le pas de ceux qui considèrent que la comptabilité managériale est une de ces techniques de surveillance qui vont à la fois rendre visibles certaines choses et en masquer d'autres.

Si Foucault n'a pas abordé frontalement l'entreprise – et bien qu'il ait débattu de l'isomorphie de modèles architecturaux entre la prison, l'école et les lieux de production comme l'usine – on peut dire que la filiation entre politique et économique passe par une tentative de définition non sociologique de « l'organisation » en général.

Reste à savoir si l'utilisation faite de Foucault par les théoriciens du management se limite à étendre la description de mécanismes de l'organisation carcérale au fonctionnement de l'entreprise. Alors, il s'agirait d'effectuer une microphysique du management analogiquement à une microphysique de l'univers carcéral. Dans ce cas, le projet serait particulièrement restreint.

Il nous semble que les voies sont autres. Si l'entreprise peut être qualifiée d'organisation et lieu majeur de production d'objets, de services, d'expériences, de savoirs et de techniques, alors elle peut devenir un objet autonome et une instance qui produit du savoir sur elle-même. C'est ce que les théoriciens et sociologues des organisations ont réalisé depuis les années 60. C'est aussi la raison pour laquelle on voit se développer la recherche en management – en tant que langage de l'administration de l'entreprise[10]. Une « épistémologie » des théories du management ne devrait alors pas être séparée d'une épistémè politique. Une archéologie supposerait alors la mise en place d'une analyse des enjeux des savoirs du pouvoir (management) dans leurs rapports à une instance prégnante (l'entreprise).

[10]. Romain Laufer, professeur au Groupe HEC Paris, « Le management est un langage administratif particulier », in *Management public, Gestion et Légitimité*, chapitre 2 : Définition du management public, vers la notion de macro-management, Dalloz Gestion, 1980. Une définition aussi surprenante doit être recentrée dans la problématique de crise de légitimité développée notamment dans *Le Prince bureaucrate, Machiavel au pays du marketing*, Flammarion, 1982 ; « Système de légitimité, Marketing et Sophistique » (article), « Rhétorique et Politique », in *De la Métaphysique à la Rhétorique*, Édition de l'Université de Bruxelles.

SECTION I

INTRODUCTION DU TERME DE « LIBERALISME »

1 Parcours du terme dans Dits et Écrits

Le terme de « libéralisme » est répertorié dans l'index de *Dits et Écrits* dans les tomes II, III et IV.

Si dans le tome II contenant les écrits de 1970 à 1975, on retient l'incursion du terme, celle-ci n'est pas vraiment notable. En revanche, lors d'un entretien à Rio en 1971[1], Foucault relie après l'*Histoire de la folie à l'âge classique* et *Surveiller et punir*, savoir et implication sociale des savoirs. Pour lui, cette implication progressive est déterminante dans les régimes libéraux, particulièrement en France au XVIIIe et dans la Confédération germanique, bien que la constante structurelle parcourant l'histoire des épistémès se traduise dans cette relation entre savoir – émergence d'un nouvel objet du savoir[2] ou de la connaissance[3] – et implication sociale de ceux-ci. Certes les modalités ne sont pas les mêmes, elles sont à chaque fois spécifiques en fonction du savoir, mais la logique est identique. Cette logique est amplifiée, structurée et spécifique dans une démocratie dite « libérale ». C'est la raison pour laquelle il est amené à s'interroger sur le rapport entre la théorie

---

1. T. II, 157-174 Entrevista com M.F in J-G. Mequior et S-P Rouanet *O Homen e o Discuro*, Rio de Janeiro, Tempo Brasileiro, 1971.

2. « J'appelle savoir, un processus par lequel le sujet subit une modification par cela même qu'il connaît, ou plutôt lors du travail qu'il effectue pour connaître » *Dits et Écrits*, II, 72. Et c'est au cours de cet entretien que Foucault en vient à thématiser la problématique générale de son œuvre, il la définit ainsi : « Comment un objet peut devenir un objet possible pour la science », c'est-à-dire au fond, comment la science peut être amenée à s'institutionnaliser, ibidem 173.

3. « J'appelle connaissance, le travail qui permet de multiplier les objets connaissables ». *Dits et Écrits*, II, 72.

évolutionniste et ce qu'elle représente comme espoir social et politique pour la bourgeoisie européenne du XIXe siècle[4].

Reste, bien sûr, à savoir ce que l'on entend par implication sociale des savoirs. Tenons-nous-en au propos de l'auteur.

« On ne peut pas dire que le discours psychopathologique européen, jusqu'à Freud, ait comporté un niveau de scientificité élevé. En revanche, tous les contextes institutionnels, sociaux et économiques de ce discours étaient importants. C'est évident que la manière d'interner les fous, de les diagnostiquer, de les soigner, de les exclure de la société ou de les inclure dans un lieu d'internement était tributaire des conditions économiques, telles que le chômage, les besoins de main d'œuvre, etc. Au fond, c'était un peu tout cela qui m'avait séduit dans le thème. Les efforts faits par certains historiens des sciences, d'inspiration marxiste, pour localiser la genèse sociale de la géométrie ou du calcul des probabilités au XVIIe siècle m'avaient beaucoup impressionné. C'était un travail ingrat, les matériaux étaient très difficiles. C'est très difficile d'entreprendre l'analyse des relations entre le savoir et la société à partir de ce genre de problèmes. En revanche, il existe un complexe institutionnel considérable, et bien évident dans le cas du discours à prétentions scientifiques comme celui de la psychopathologie... J'ai poursuivi, ensuite, mes recherches dans le champ de la médecine en général – la *Naissance de la clinique* – estimant que j'avais choisi un exemple trop facile dans le champ de la psychopathologie, dont l'appareil scientifique était trop faible (...)

Et dans ce cas nous pouvons observer dans des

---

4. II, 173, *ibidem.*

pratiques scientifiques parfaitement étrangères l'une à l'autre, et sans aucune communication directe, des transformations qui se produisent en même temps, selon la même forme générale et dans le même sens. François Jacob a repéré un phénomène de ce type[5] l'apparition au milieu du XIXe siècle de deux théories, l'une biologique et l'autre physique, qui ont recours en général au même type d'organisation et de systématicité. C'étaient les théories de Darwin et de Boltzmann. Darwin a été le premier à traiter des êtres vivants au niveau de la population, et non plus au niveau de l'individualité. Boltzmann a commencé à traiter les particules physiques non plus comme individualités, mais au niveau du phénomène de la population, c'est-à-dire en tant que séries d'éventualités statistiquement mesurables... Voilà le premier problème, celui des simultanéités épistémologiques. Le second problème est le suivant : il m'a semblé que les conditions économiques et sociales servent de contexte à l'apparition d'une science, à son développement et à son fonctionnement mais ne suffisent pas. Ce serait le niveau archéologique considéré comme l'analyse de l'émergence des objets scientifiques et le positionnement des pratiques qu'elles impliquent. »

La question du libéralisme est évoquée une deuxième fois en 1975 lors d'un entretien avec Jean-Louis Ezine, essayiste. Alors le philosophe est mis « sur la sellette » et commente la publication de *Surveiller et punir*[6].

---

5. Foucault fait ici référence à *La Logique du vivant*, François Jacob, *La Logique du vivant, une histoire de l'hérédité*, Gallimard, 1970.

6. II, 720, *Sur la sellette*, entretien avec Jean-Louis Ezine, *Les Nouvelles littéraires*, n° 2477, 17-23 mars 1975.

Ici, l'incarcération est entendue de manière extensive, c'est-à-dire à partir d'une analyse du contrôle social certes exemplaire dans le microcosme de la prison. Foucault est alors amené à préciser sa position sur la nature du contrôle dans le cadre d'une démocratie libérale. Presque irrité par ce qui serait pour son interlocuteur une sorte de schématisme social, Jean-Louis Ezine finit par demander à Foucault, non sans ironie : en fin de compte à bien lirc *Surveiller et punir*, « plus on est en démocratie, plus on est surveillé ? » ; cela afin de pousser l'interviewé dans ses retranchements. La réponse de Foucault est la suivante :

« Pour qu'un certain libéralisme bourgeois ait été possible au niveau des institutions, il a fallu des micropouvoirs, un investissement beaucoup plus serré des individus, il a fallu organiser le quadrillage des corps et des comportements... »

Et ce quadrillage loin d'être rudimentaire prend des formes de plus en plus sophistiquées.

« Ce quadrillage peut prendre la forme caricaturale – des casernes ou des anciens collèges religieux – jusqu'aux formes les plus modernes, par exemple la pression sur la consommation.» Ou encore, un siècle plus tôt, « au XIXe siècle, on a obligé les ouvriers à épargner, en dépit de leurs salaires très bas. L'enjeu de l'opération était plus certainement le maintien de l'ordre politique que celui de l'économie. »

C'est ainsi que l'on pourra comprendre plus loin de quelle manière il faut entendre que le politique parcourt l'économique et réciproquement.

C'est dans le tome III, et à partir de 1978, que le terme « libéralisme » ne se rencontre plus accidentellement dans *Dits et Écrits*. Il devient véritablement un des pivots de la réflexion philosophique et politique de Foucault.

Notamment à la faveur de son cours au Collège de France de 1979 qui porte le titre de *Naissance de la biopolitique*[7]. Durant les années 1976-1978, Foucault s'attache à préciser et à élaborer le concept de pouvoir. Ce qui l'amène on le verra, à s'en départir et à lui substituer d'autres concepts. Dans ce droit fil, en 1978, il conceptualise ce qu'il nomme la « biopolitique » au XVIIIe et au XIXe siècle. Un certain nombre de textes contribuent à l'élaboration de ce concept, particulièrement *La politique de la santé au XVIIIe siècle* paru en 1976 dans *Les Machines à guérir*[8]. La question de l'organisation de la médecine à une grande échelle décidée par les pouvoirs publics de l'époque, et accompagnée d'administrations comme l'hôpital, s'effectue parallèlement au développement de la médecine privée. Ce parallélisme constitue une difficulté sur laquelle Foucault revient en 1978 en rééditant ce texte, et en y faisant des ajouts[9]. Il est à noter que *La politique de la santé au XVIIIe siècle*, bien que publiée dans une collection portant sur l'architecture, s'attache davantage à l'implication sociale d'une épistémè, et à ses transformations épistémologiques au contact de ses applications, qu'à la morphologie et à l'organisation spatiale des structures médicales. En effet, on remarque qu'entre 1976 et 1978, les concepts foucaldiens commencent à se « déspatialiser ». Dans ce contexte, l'abandon progressif de la question du territoire et son remplacement par d'autres concepts participent de ce

---

7. III, 818 : il s'agit du dernier texte de ce tome.
8. *Les Machines à guérir. Aux origines de l'hôpital moderne.* Institut de l'environnement, Bruxelles. Pierre Madraga, collection « Architectures et Archives », 1979, Bruxelles.

9. *La politique de la santé au XVIIIe siècle* in *Les Machines à guérir. Aux origines de l'hôpital moderne.*

moment tout à fait décisif qui concoure à délimiter la philosophie politique foucaldienne. A cet égard, on s'appuiera sur deux références éloquentes que sont, d'une part, le texte de présentation du cours au Collège de France de l'année universitaire 1977-1978 intitulé *Sécurité, Territoire et Population*[10] et, d'autre part, l'introduction à l'édition américaine de *Du normal et du pathologique* de Canguilhem[11]. Il s'agit en effet de comprendre comment « la médecine « privée » et la médecine « socialisée » relèvent dans leur appui réciproque et dans leur opposition d'une stratégie globale », sachant que l'objectif affiché est l'accroissement du « bien-être de la société[12] ». A cette occasion Foucault situe l'émergence et le développement de la « biopolitique » dans le libéralisme et par conséquent tend à attribuer à celui-ci une relation savoir-pouvoir[13].

« Le cours de cette année a été finalement consacré, en son entier, à ce qui devait n'en former que l'introduction. Le thème retenu était donc la « biopolitique » : j'entendais par-là la manière dont on a essayé, depuis le XVIIIe siècle, de rationaliser les problèmes posés à la pratique gouvernementale par les phénomènes propres à un ensemble de vivants constitués en population : santé, hygiène, natalité, longévité, races... On sait quelle place croissante ces problèmes ont occupée depuis le XIXe siècle, et quels enjeux politiques et économiques ils ont constitués jusqu'à aujourd'hui. Il m'a semblé qu'on ne pouvait dissocier ces problèmes du

---

10. III, 719.
11. III, 429, Boston, D. Reidel, 1978.
12. III, 729.
13. « Naissance de la bio-politique », *Annuaire du Collège de France, Histoire des systèmes de pensée*, année 1978-1979, T. III, 818.

cadre de rationalité politique à l'intérieur duquel ils sont apparus et ont pris leur acuité. A savoir le « libéralisme » puisque c'est par rapport à lui qu'ils ont pris une allure de défi. »

Suit une interrogation sur la nature du libéralisme. Cette interrogation suivie d'une définition fait l'objet d'un chapitre proprement dit de cette recherche.

Le tome IV comprend les textes écrits ou enregistrés entre 1980 et 1984, année du décès de Foucault. Ce tome contient aussi les textes qui ont été publiés après sa mort jusqu'à 1988. Pour autant, ces écrits ne sont pas considérés comme posthumes par les éditeurs dans la mesure où ils étaient en cours de publication du vivant de l'auteur.

La Poussière et le Nuage, paru dans le cadre des recherches de Michèle Perrot sur le système pénitentiaire au XIXe siècle, prolonge les interrogations du séminaire du Collège de France de 1979.

La question du libéralisme est une nouvelle fois soulevée, mais cette fois d'une tout autre manière.

Le contexte immédiat est le suivant : la Société d'histoire de la Révolution de 1848, dont Michèle Perrot fait partie, publie dans les *Annales historiques de la révolution française* (n°2, 1977) une série d'études sur le système pénitentiaire au XIXe siècle en rapport avec et à propos de *Surveiller et punir*. Pour les historiens spécialistes de la révolution de 1848, le débat porte sur la précision historique des faits évoqués par Foucault dans *Surveiller et punir*. C'est ainsi que le philosophe est vilipendé et qualifié par Jacques Léonard de « cavalier barbare parcourant trois siècles à bride abattue ». A cet égard, l'article de ce dernier, particulièrement critique quant à l'absence de rigueur historienne chez Foucault, oppose à la thèse de la « normalisation massive, la poussière des faits[14] ». Cette table ronde a pour but de répondre à Jacques Léonard. Les ondes produites par cette réponse se prolongent finalement par une critique formulée par Maurice Agulhon. Pour lui, rien ne permet de penser que le rationalisme des libéraux des Lumières et des philanthropes ait songé à étendre aux adultes et aux majeurs le contrôle imposé aux mineurs, aux fous, aux délinquants. En cherchant les origines du totalitarisme dans l'héritage des Lumières, on contribue à la critique du rationalisme.

A ces objections, Foucault répond que son enjeu est autre. Il s'agit de discriminer le moment singulier où le politique déploie une économie de moyens et de techniques permettant de s'adresser à la fois à une population et à l'individu, en individualisant sa technologie. C'est la raison pour laquelle il est nécessaire de considérer l'administration carcérale dans ses pratiques et ses effets qui ne se réduisent pas à une microphysique. C'est ainsi, qu'entre le XVIIIe et le XIXe siècle, la courbe démographique européenne s'accroît de manière significative, et que doivent être inventés les moyens d'une politique de masse, comme on doit faire face à une demande de biens de consommation et à une production de masse.

La révolution capitalistique de l'appareil de production doit être réfléchie par les historiens de la révolution industrielle non seulement au niveau de la transformation des manufactures en usines, mais aussi au niveau de l'État, non plus dans son simple appareil mais

---

14. Sur ce point on se reportera avec beaucoup d'intérêt à *La Poussière et le Nuage*, T. III, 10, et à la « Table ronde du 20 mai 1978 », en présence de M. Foucault, J. Léonard, M. Agulhon, N. Castan, C. Duprat, F. Ewald, A. Farge, A. Fontana, C. Ginzburg, R. Gossez, P. Pasquino, M. Perrot, J. Revel, T. III, 20 et ss.

du point de vue de la prolifération de ses moyens. Et ce qui, hier, ressemblait à une grande machine doit être pensé comme un réseau (virtuel ?) dont les tenants et les aboutissants sont fluides. Rien ne sert de comprendre l'histoire des mentalités du paysan devenant ouvrier ou encore celles des Rastignac et des Julien Sorel ; rien ne sert de faire l'histoire de la quotidienneté ou celle du prix du blé, si ces histoires ne sont pas rattachées à une impulsion parallèle et mouvante des logiques économiques et politiques encore naissantes.

Quant à la question de savoir si dans le développement d'une rationalité politique gésirait une forme de totalitarisme, Foucault répond à Maurice Agulhon point par point.

Concernant le rationalisme et l'*Aufklärung*, les thèses que Maurice Agulhon critique ne sont pas les siennes, déclare-t-il. « Je n'ai en aucune manière cherché à mener la critique du rationalisme pour trois raisons. Une raison de fait : le rationalisme a eu beaucoup de mal à se remettre des éloges qu'il a subis de la part des marxistes orthodoxes dans les années cinquante et suivantes, il se relève à peine, exsangue et titubant, de l'usage qu'on en a fait pour justifier Lyssenko contre la génétique et le "matérialisme scientifique" contre la science tout court ; laissons-le donc se remettre, si faire se peut. »

Une raison de méthode : « j'ai essayé de montrer les formes de rationalité, mises en œuvre dans certaines pratiques institutionnelles, administratives, judiciaires, médicales, etc. Et on le sait, la rationalité de l'abominable est un fait de l'histoire contemporaine. L'irrationnel n'en acquiert pas pour autant des droits imprescriptibles. »

Une raison de principe – et c'est là qu'intervient le

terme de « libéralisme » : « le respect du rationalisme comme idéal ne doit jamais constituer un chantage pour empêcher l'analyse des rationalités réellement mises en œuvre. »

Foucault formule alors une proposition relativement énigmatique qu'il reprendra par ailleurs :

« le libéralisme », affirme-t-il, « n'est évidemment pas une idéologie ou un idéal. C'est une forme de rationalité gouvernementale fort complexe. Il est, je crois, du devoir de l'historien d'étudier comment il a pu fonctionner, à quel prix, avec quels instruments – cela évidemment à une époque et dans une situation données[15]. »

2. Enjeu de l'introduction du terme de « libéralisme »

A. D'une philosophie du pouvoir à une philosophie politique

C'est donc à partir de 1978-1979, et à la faveur de la présentation de son cours au Collège de France de l'année, aussi intitulé *Naissance de la biopolitique,* que les enjeux d'une définition, certes atypique, du libéralisme au XVIIIe siècle peuvent être saisis. Cette fois, Foucault aborde de front la question et par conséquent s'oblige à se situer dans une problématique de philosophie politique, et non plus *stricto sensu* dans une philosophie qualifiée de philosophie du pouvoir.

Avant d'entrevoir à partir de quelles catégories le terme de « libéralisme » est reconstruit, il conviendrait de revenir, non pas sur le statut du pouvoir, mais sur la

---

15. III, 36, *Postface* , in Perrot, *L'Impossible Prison* , op. cit.

transition du pouvoir au politique.

L'hypothèse retenue ici est la suivante : l'introduction du libéralisme comme notion permet à Foucault de sortir d'une philosophie du pouvoir dans lequel il s'est laissé enfermer, notamment avec *Surveiller et punir*. Après un tel livre que peut-il faire sinon se limiter à la description exhaustive des lieux de pouvoir ? Mais est-ce là un problème philosophique ? Ce n'est pas même une aporie. Il est probable qu'une telle logique aboutisse à une impasse philosophique qu'il est douteux de voir se résoudre en systématisant ce que signifierait une « microphysique » du pouvoir s'appliquant, tel un paradigme, à toutes les structures. Il eût fallu entreprendre un travail d'historien ou de sociologue. Mais telle ne fut pas la décision du philosophe.

Revenons un instant sur ce que veut dire « pouvoir ». Un texte synthétique peut nous y aider[16] – texte de fracture aussi puisqu'il est rédigé en 1977. Cette année est riche de propositions charnières. En fait, dans *Microphysique du pouvoir*, il ne s'agit pas de créer les conditions qui permettent de constituer une microphysique du pouvoir, mais au contraire d'en déjouer le piège, de s'affranchir de cette scène. Ce que Foucault met en cause ici, est la scène forclose dans laquelle il s'est néanmoins laissé assiéger, soit un certain dualisme entre pouvoir et domination. Si dans un premier temps, le rôle d'une microphysique est de contourner la multiplicité des codifications du pouvoir en reconnaissant la multiplication de ses supports, l'effet est inverse. Foucault – malgré toutes ses déclarations sur la

---

16. III, 140, *Microfisica del potere*, interventi politici, Turin, Einaudi, 1977, Pasquino et Fontana.

positivité du pouvoir – n'a fait que décrire des appareils de domination de plus en plus sophistiqués de la société féodale jusqu'à l'ère des Lumières. Et l'aube du modernisme ressemble à s'y méprendre à un vaste château piranésien construit par Disney[17].

De cette microphysique du pouvoir, il semble être sorti. Et ces commentaires sur la généalogie du concept de pouvoir visent désormais, à partir de 1977, une destruction des catégories classiques et pour lui dominantes de la philosophie politique[18].

« Le souverain, la loi, l'interdiction, tout cela a constitué un système de représentation du pouvoir qui a été ensuite transmis par les théories du droit : la théorie politique est restée obsédée par le personnage du souverain. Toutes ces théories posent encore le problème de la souveraineté. Ce dont nous avons besoin, c'est d'une philosophie politique qui ne soit pas construite autour du problème de la souveraineté, donc de la loi, donc de l'interdiction ; il faut couper la tête du roi et on ne l'a pas encore fait dans la théorie politique. »

L'ambition est claire : rien d'autre qu'une *tabula rasa* des catégories classiques, mais plus important que la prise de la Bastille, la nuit du 4 août de Foucault s'effectue sur le clair-obscur de l'abolition d'une représentation de l'État.

« Décrire tous ces phénomènes de pouvoir en fonction de l'appareil d'État, c'est les poser essentiellement en termes de fonction répressive : l'armée qui est un pouvoir mort, la police et la justice qui sont des instances de pénalité... Je ne veux pas dire que l'État ne soit pas important ; ce que je veux dire, c'est

---

17. Voir texte sur la visite à la prison d'Attica aux États-Unis.
18. III, 150, *ibid.*

que les rapports de pouvoir, et par conséquent l'analyse que l'on doit en faire, doivent aller au-delà du cadre de l'État. Et cela en deux sens : d'abord parce que l'État, y compris avec son omniprésence et avec ses appareils, est bien loin de recouvrir le champ du réel des rapports de pouvoir ; ensuite, parce que l'État ne peut fonctionner que sur la base de relations préexistantes. L'État est superstructurel au regard de toute une série de réseaux de pouvoir qui passent à travers les corps, la sexualité, la famille, les attitudes, les savoirs, les techniques, et ces rapports entretiennent une relation de conditionnant/conditionné par rapport à une espèce de métapouvoir structuré pour l'essentiel autour d'un certain nombre de grandes fonctions d'interdiction. Mais ce métapouvoir disposant de fonctions d'interdiction ne peut réellement disposer de prises, et il ne peut se maintenir que dans la mesure où il s'enracine dans toute une série de rapports de pouvoirs multiples, indéfinis et qui constituent la base nécessaire de ces grandes formes de pouvoir négatives ; c'est cela que je voudrais faire apparaître. »

Il n'en aurait donc jamais fini avec sa première entreprise de « listage[19] » ? Peut-être pas. Cette observation laisse augurer un tournant.

« Le pouvoir tel qu'on l'exerçait dans les sociétés de type féodal fonctionnait *grosso modo* par signes et prélèvements. Signes de fidélité au seigneur, rituel, cérémonies, et prélèvements de biens à travers l'impôt, le pillage, la chasse, la guerre. A partir des XVIIe et XVIIIe siècles, on a eu affaire à un pouvoir qui a commencé à s'exercer à travers la production et la prestation. Il s'est

---

19. III, 151, *ibid.*

agi d'obtenir des individus, dans leur vie concrète, des prestations productives. Et pour cela, il a été nécessaire de réaliser une véritable incorporation du pouvoir, il a dû arriver jusqu'au corps des individus, à leurs gestes, à leurs attitudes, à leurs comportements de tous les jours ; de là, l'importance des procédés comme les disciplines scolaires qui ont réussi à faire du corps des enfants un objet de manipulations et de conditionnements très complexes. Mais par ailleurs, ces nouvelles techniques de pouvoir devaient prendre en compte les phénomènes de population... De là, l'apparition des problèmes de démographie, de santé publique, d'hygiène, d'habitat, de longévité et de fécondité. »

On peut supposer que la transition effectuée d'une philosophie du pouvoir au périmètre d'une philosophie politique via le libéralisme est déjà présente dans l'impensé que représente l'utilisation de Jeremy Bentham dans *Surveiller et punir*[20].

Jusqu'alors le pouvoir conçu du point de vue foucaldien reposait essentiellement sur la construction de métaphores. Ce fut la nef du fou, le grand enfermement, le Panopticon, métaphore d'une société transparente dans laquelle tout se voit et tout se sait. Mais nul doute que le créateur du Panopticon ne pouvait être réduit à une image aussi simplificatrice. Bentham est l'auteur en 1789 de l'*Introduction aux principes de la morale et de la législation*, c'est-à-dire de l'un des exposés les plus complets sur l'utilitarisme juridique et politique. Du principe de l'utilité, il déduit un gouvernement du droit et une théorie de gouvernement. Or à lire *Surveiller et punir,* nulle mention n'est faite de l'utilitarisme, le

---

20. Si l'on peut considérer l'utilitarisme comme une mouvance du libéralisme.

Panopticon est extrait de son contexte et Bentham se trouve instrumentalisé dans l'image d'une société d'où le surveillant voit d'un coup d'œil tout ce qui se passe, et fait passer le prisonnier de la puissance à faire le mal à la perte de « la pensée et du vouloir ». En fait, la proposition de Bentham est autre. L'utilitariste anglais insiste sur la nécessité d'humaniser la prison en évitant les souffrances inutiles, il considère que l'on devrait les faire administrer comme des entreprises – le mot est fort et lourd de sens – en concluant des contrats avec les particuliers. Et sur ce point, paradoxalement, il y aurait peut-être moins de divergences que l'on supposerait entre Bentham et Foucault.

Pour Bentham comme pour Foucault on doit examiner les lois par leurs effets, c'est-à-dire quant à leur capacité d'accroître le bonheur du plus grand nombre.

Pour Bentham encore, le seul grand principe qui préside à l'établissement d'une législation est celui de la maximisation du bonheur. Les conditions de réalisation du plus grand bonheur possible varient selon le temps et le lieu, tout autant que les sensibilités et les mœurs ; aussi rien ne saurait valoir absolument comme une loi juste. C'est la raison pour laquelle l'idée d'utilité ne se forme dans notre sensibilité qu'à partir de l'expérience répétée du plaisir. La répétition du plaisir produit la validité de la chose, d'où le relativisme des valeurs juridiques et politiques. Rien dans ces principes n'est fondamentalement étranger à la pensée foucaldienne. Pourquoi alors utiliser Bentham comme un grand architecte et non comme philosophe de l'utilitarisme social ?

Outre cette utilisation partielle de Bentham, on peut trouver dans les positions soutenues par l'utilitariste d'autres rapprochements avec Foucault. Ce dernier pourfend le droit comme idée à la fois constitutive mais aussi trop structurante de la philosophie politique. De son côté, Bentham critique le droit naturel comme une fiction métaphysique. *Confer* son opuscule de 1795, *Sophismes anarchiques*, véritable critique de la *Déclaration des droits de l'homme et du citoyen*.

De là à conclure à un utilitarisme social de Foucault, il y a un pas. Notons seulement, pour l'instant, l'équivoque non thématisée de cette référence foucaldienne.

B. Pour de nouvelles catégories du politique

Le cadre dans lequel va être pensé le libéralisme entre 1978 et 1984 suppose la création de nouveaux concepts et la mise à l'écart de certains autres.

L'introduction du terme de « libéralisme » est en effet concomitante avec la création de concepts comme ceux de « biopolitique », de gouvernement et de « gouvernementalité ». Mais si le terme de « libéralisme » peut revêtir un caractère d'importance dans sa pensée, c'est probablement parce que Foucault de 1978 à 1984 définit son projet philosophique par rapport à ce qu'il nomme « rationalité politique ». Aussi, avons-nous également à définir ce que veut dire « rationalité politique », particulièrement en relation avec le libéralisme.

Le projet d'instauration du libéralisme comme rationalité politique s'oppose à un libéralisme comme doctrine, comme construction d'un système d'idées dont la liberté serait le centre, comme idéal politique voire comme idéologie définie comme pensée dominante. C'est une question d'exercice, d'effectuation maximale d'un type de rationalité.

Cette actualisation de la rationalité politique n'est pas saisie d'un point de vue général, mais elle est un moment. « Je ne parle pas de sociétés qui n'ont ni géographie ni calendrier[21]. » Mais quelle est la spécificité de ce moment ? Paradoxalement cette emprise sur les individus ne se manifeste pas dans le cadre d'un renforcement d'un quelconque pouvoir[22].

« C'est ici qu'intervient la notion de libéralisme. Il me semble qu'il est devenu évident, à ce moment-là, que trop gouverner, c'était ne pas gouverner du tout – c'était induire des résultats contraires aux résultats souhaités. »

De manière corollaire, Foucault met au cœur de cette forme de gouvernement la notion de société.

« L'une des grandes découvertes de la pensée politique de la fin du XVIIIe siècle, c'est l'idée de société, à savoir l'idée que le gouvernement doit non seulement administrer un territoire, un domaine, s'occuper de ses sujets, mais aussi traiter avec une réalité complexe et indépendante, qui possède ses propres lois et mécanismes de réaction, ses réglementations ainsi que ses possibilités de désordre. Cette réalité nouvelle est la société. Dès l'instant où l'on doit manipuler une société… Il devient nécessaire de réfléchir sur elle, sur ses caractéristiques propres, ses constantes et ses variables. »

Cependant, si la distinction entre société, société civile et État pouvait être une caractéristique du libéralisme commençant, cette distinction n'est plus nécessairement opératoire au XXe siècle. Car elle répondait à une intention précise des économistes dits libéraux de la fin du XVIIIe siècle qui avaient pour

21. IV, 92, entretien avec D. Trombadori, fin 1978, *Il Contributo*, n°1, janvier-mars 1980.
22. IV, 273, *Espace, Savoir, Pouvoir*, entretien avec P. Rabinow, Skyline, mars 1982.

dessein de limiter la sphère de l'action de l'État, la société civile étant conçue comme le lieu d'un processus autonome. C'était, dit-il, « un concept quasi polémique, opposé aux options administratives des États de l'époque pour faire triompher un certain libéralisme[23]. »

En octobre 1982, dans le dernier volume de *Dits et Écrits*, à l'avant-dernière page, et après avoir délimité le libéralisme hors du primat de la liberté, Foucault parvient à une vue plus claire de ce qu'il dénomme « libéralisme » : il propose une définition plus précise de la rationalité politique caractéristique du libéralisme. Ce moment se spécifie par l'importance croissante des problèmes de vie pour le pouvoir politique, et le développement de champs possibles pour les sciences sociales et humaines pour autant qu'elles prennent en compte les composantes du comportement individuel à l'intérieur de la population et les relations entre une population et son milieu économique, culturel, social.

« Dans cette perspective, la caractéristique majeure de notre rationalité (politique) moderne n'est ni la constitution de l'État, le plus froid de tous les monstres froids, ni l'essor de l'individualisme bourgeois. Je ne dirais pas même que le libéralisme est un effort constant pour intégrer les individus à la totalité politique. La caractéristique majeure de notre rationalité politique tient, à mon sens, à ce fait : cette intégration des individus dans une communauté ou une totalité qui résulte d'une corrélation permanente entre une individualisation plus poussée et la consolidation de cette totalité. De ce point de vue, nous pouvons comprendre pourquoi l'antinomie droit/ordre permet la rationalité politique moderne. Le droit renvoie toujours à un

---

23. IV, 374 et sq.

système juridique tandis que l'ordre se rapporte à un système administratif, à cet ordre bien précis de l'État – ce qui était très exactement l'idée de tous ces utopistes du XVIIe siècle, mais aussi de ces administrateurs du XVIIIe siècle. Le rêve de conciliation du droit et de l'ordre qui fut celui de ces hommes doit, je crois, demeurer à l'état de rêve. Il est possible de concilier droit et ordre parce que lorsque l'on s'y essaie c'est uniquement sous la forme d'une intégration du droit à l'ordre de l'État... Ma dernière observation sera la suivante : on ne saurait isoler l'apparition de la science sociale de l'essor de cette nouvelle rationalité politique ni de cette nouvelle technologie politique. Chacun sait que l'ethnologie est née de la colonisation (ce qui ne veut pas dire qu'elle soit une science impérialiste) ; de la même façon, je crois que si l'homme, nous, êtres de vie, de parole et de travail – est devenu un objet pour diverses sciences, il faut en chercher les raisons, non pas dans une idéologie, mais dans l'existence de cette technologie politique que nous avons formée au sein de nos sociétés[24]. »

Le repérage des occurrences du terme de « libéralisme » permet de comprendre en quoi il définit philosophiquement la question du politique. En fait, dans une rationalité politique délimitée historiquement, l'exercice de cette rationalité innove en drainant avec elle un certain nombre de notions : celles de société, de technologie politique, etc., notions centrales au XIXe siècle.

La pertinence relative, c'est-à-dire historique, du concept de rationalité politique peut cependant pour Foucault s'inscrire dans une lecture plus contemporaine. On retiendra ici un texte intitulé *Un système fini face à*

---

24. IV, 826, in « La Technologie politique des individus. »

une demande infinie, écrit en 1983[25], et dans lequel Foucault commente la question aujourd'hui fort débattue du régime spécifique de la sécurité sociale en France. La crise du régime de la Sécurité sociale en France est certes l'aboutissement de la crise des critères d'une rationalité politique définie deux siècles auparavant et bien qu'à cette époque la Sécurité sociale n'existât pas. Cette crise vécue aujourd'hui avec acuité par la société française inquiète de voir son régime de protection sociale, de maladie et de vieillesse se réduire comme une peau de chagrin, cette crise donc serait pour Foucault le signe des limites d'une rationalité libérale et politique mise en place à partir du XVIIIe siècle.

« D'un côté, on donne plus de sécurité aux gens et de l'autre, on augmente leur dépendance. Or, ce que l'on devrait pouvoir attendre de cette sécurité, c'est qu'elle donne à chacun son autonomie par rapport à des dangers et à des situations qui seraient de nature à l'inférioriser ou à l'assujettir... On assiste par conséquent à un phénomène important : jusqu'à ce qu'on appelle " la crise" et plus précisément jusqu'à ces butoirs auxquels on se heurte maintenant, j'ai l'impression que l'individu ne se posait guère la question de son rapport avec l'État dans la mesure où ce rapport, compte tenu du fonctionnement des grandes institutions centralisatrices, était fait d'un *input* – les cotisations qu'il versait – et d'un *output* – les prestations qui lui étaient servies. Les effets de dépendance étaient surtout sensibles au niveau de l'entourage immédiat. (…)

Aujourd'hui intervient le problème des limites. Ce qui est en cause, ce n'est plus l'accès égal de tous à la sécurité, mais l'accès (infini) de chacun à un certain nombre de prestations possibles. (On dit aux gens :

---

25. IV, 374.

« Vous ne pouvez plus continuer à consommer indéfiniment. » Et quand l'autorité proclame : « A cela vous n'avez pas droit » ou bien : « Vous paierez une part des frais d'hospitalisations. » ; et à la limite : « Il ne servirait à rien de prolonger votre vie de trois mois, on va vous laisser mourir... », alors l'individu s'interroge sur la nature de son rapport à l'État[26] et commence d'éprouver sa dépendance vis-à-vis d'une institution dont il avait mal perçu jusque-là le pouvoir de décision. »

L'hypothèse suivant laquelle Foucault s'affranchit d'un concept général du pouvoir pour parvenir à d'autres concepts comme la rationalité politique au travers de la notion de gouvernement et de biopolitique ne suffit pas à justifier l'adéquation de ces notions à la naissance du moment libéral qu'il situe au XVIIIe siècle.

L'adéquation de ces notions avec le libéralisme reste une question. De quel libéralisme s'agit-il exactement ?

---

26. Foucault attribue ici à l'État, la sécurité sociale, alors que comme on le sait celle-ci est le fruit du paritarisme.

SECTION II

UNE CONCEPTION DU LIBERALISME CRITIQUE ET ATYPIQUE

Les pages qui suivent renvoient à la présentation du cours de 1978-1979 au Collège de France, et à l'écoute des cassettes enregistrées par les étudiants durant l'année universitaire. Dans la mesure où un texte de présentation de séminaire ne peut faire l'objet à proprement parler d'un commentaire, on retracera les lignes saillantes de cette présentation et les notions qu'elle met en œuvre.

Ce chapitre dresse une carte des catégories permettant de comprendre ce qui travaille non pas la pensée libérale, mais ce que Foucault appelle « la pratique libérale ». Autant dire que le philosophe, contre toute attente, tente de cerner d'une part ce qui semble être le moteur de la logique libérale à partir du XVIIIe siècle, tant du point de vue politique qu'économique ; et d'autre part, recherche ce qui est nouveau dans un libéralisme émergent, dont les prolongements se feront ressentir jusqu'à la Seconde Guerre mondiale. A cet égard, nul doute qu'il ne s'agit pas d'établir des âges du libéralisme. Point de rupture entre une période et une autre. Point de degré zéro, précédant une expansion au XIXe siècle. En témoigne la superposition de logiques : celle du gouvernement pastoral, celle de la raison d'État, celle de la biopolitique. Ces trois logiques s'entrecroisent au sein de régimes dits libéraux.

Ce chapitre est découpé en deux parties.

Une première partie porte sur la rationalité politique spécifique du libéralisme, c'est-à-dire sur la biopolitique, et ses conditions de possibilité. Il s'agit de resituer la base théorique de la thèse suivant laquelle nous avons à réfléchir à la multiplication des rationalités, et non à une histoire massive de la raison. Cette thèse permet d'établir une tâche « épistémique » dans la philosophie politique contemporaine postérieure à Foucault.

Cette première partie peut être rapportée au chapitre III qui cherche à entrevoir ce que Foucault entend par technologie politique adossée à une conception de la liberté.

La deuxième partie porte sur le principe moteur du libéralisme. Ce que Foucault appelle sa règle interne et, par là, reconstitution du concept de gouvernement. En transférant un principe de production illimité de l'économique au politique (mais quel est-il ?), Foucault rend caducs les clivages académiques entre d'un côté ce qui appartiendrait aux instances de régulation de la vie sociale et de l'autre, les instances de production. Cette problématique est l'aboutissement d'une critique violente de la question de l'État. La remise en cause est décisive dans la pensée foucaldienne, et parcourt *Dits et Écrits* de part en part. Nous avons cependant choisi de la mentionner seulement, sans aller plus avant parce qu'elle suppose de reconsidérer systématiquement les exclusions philosophiques de Foucault (Hobbes, Machiavel), et de replacer la destruction de cette problématique dans ce que l'on pourrait qualifier un acte de minage du droit, de la loi, de la souveraineté. Cela suppose aussi de revisiter le statut de l'État de droit. Cette question sera traitée de manière indirecte, en montrant comment Foucault court-circuite l'idéal libéral, c'est-à-dire le couple libéralisme politique – libéralisme économique, démocratie – libre entreprise.

Si dans un premier temps, Foucault paraît adopter une posture critique, héritière d'une théorie de la domination, dans un second temps, l'horizon de l'anéantissement de la question de l'État permet de penser que Foucault s'engage dans les sentiers du nihilisme anarchiste. En fait, il nous semble que ses considérations sont beaucoup plus affirmatives que destructrices et que de ce point de vue, le statut de la subjectivité décide de sa libéralité à l'endroit du libéralisme. Le concept de « subjectivation » ne peut être posé sans considérer au préalable qu'une constitution de la liberté est possible. Ceci est assez inattendu, dans la mesure où Foucault se rapproche de théoriciens apparemment aux antipodes de sa pensée, tel Hayek. En réalité, si Foucault aboutit à de telles relations avec la pensée libérale (à la faveur de l'affirmation de l'individualité), c'est faute nous semble t-il d'avoir assumé systématiquement son transcendantalisme[1].

---

1. Concernant « l'histoire transcendantale des conditions de possibilité du vrai et ses effets subjectivants sur les individus », voir Béatrice Han, *L'ontologie manquée de Michel Foucault. Entre l'historique et le transcendantal*, Editions Jérôme Million, 1998, Grenoble, France.

1. *Le format du séminaire et inscription du libéralisme*

1er moment.
Inscription du libéralisme comme rationalité politique

a. Définition de la « biopolitique »

La biopolitique consiste en la gestion d'un phénomène nouveau : l'accroissement de la population en Europe occidentale à partir du XVIIIe siècle.

La biopolitique se caractérise au XVIIIe siècle comme : « une manière de rationaliser les problèmes posés à la pratique gouvernementale pour les phénomènes propres à un ensemble de vivants constituées en population ».

La biopolitique est par conséquent une réponse technique à la croissance démographique en vue d'assurer le bien-être des populations, dans le respect des droits des individus, et en garantissant l'initiative de chacun. De cette acception de la biopolitique découle une conception du libéralisme comme pratique, ou manière de faire, orientée vers des objectifs et non théorie, idéologie, manière de se représenter la société ou encore un idéal. Autant dire que ce qu'il s'agit de penser est le rapport entre le traitement politique gestionnaire à une échelle exponentielle de la population et l'accession de l'ensemble des individus à un régime de liberté.

Cette entrée dans le libéralisme est surprenante, elle suit néanmoins un cheminement cohérent qu'il n'est pas indifférent de décrire. Foucault vise à caractériser une rationalité spécifique alors que cet aspect (la rationalité) n'est pas ce qui singularise le libéralisme pour les théoriciens libéraux. Notons cependant, qu'aujourd'hui la plus grande partie de la littérature sociologique analysant les systèmes de production en entreprise porte sur la relation entre rationalisation productive et rationalité.

b. Qu'est-ce qu'une rationalité ?

Pour Foucault, la possibilité d'un discours philosophique s'institue dans la contextualisation historique et épistémique de ce qu'elle énonce. Il faut en effet garder à l'esprit le fait que toute discontinuité est à replacer dans un cadre beaucoup plus vaste, celui de l'éclatement de la raison en rationalités hétérogènes[2].

---

2. L'histoire ou plutôt l'historicité a pour fonction de montrer ce qui n'a pas toujours été et que la raison éprouve comme nécessité, ou plutôt ce que les différentes formes de rationalité donnent comme leur étant nécessaire (*Structuralisme et Poststructuralisme*, entretien avec Gérard Raulet, *Telos*, volume 16, n°55, printemps 1983). Aussi les propositions foucaldiennes tirent moins leur fiabilité d'une logique que d'une énonciation historienne plus inventive que rigoureuse, c'est-à-dire en marge de la discipline historique. Cette fiabilité d'une raison historienne n'est pas donnée dans le savoir historique, elle est la condition de possibilité du concept philosophique. C'est, pourrait-on dire, l'inscription transcendantale de Foucault. Son *a priori* est un *a priori* méthodologique qui suppose une histoire hors des catégories proposées par les historiens. La question de l'histoire est par conséquent celle du renouvellement permanent de la narration des énoncés du vrai. C'est la raison pour laquelle il y a toujours à recommencer, à donner des preuves, à accumuler des matériaux, des textes marginaux contre les textes officiels, contre les historiographes qu'ils soient royaux ou républicains, ou libéraux. Cette enquête perpétuelle, quasiment empirique et revendiquée comme telle, à partir du matériau de faits

Ce programme n'est pas exactement l'histoire des étapes des systèmes de la pensée, dans la mesure où « la question du fondement de la rationalité ne peut être dissociée de l'interrogation sur les conditions actuelles de son existence [3]». Mais il demeure cependant très marqué par une périodisation qui tendrait à démontrer de part en part l'utilisation de plus en plus omniprésente des sciences sociales dans la société. Ce programme que l'on peut qualifier de manière encore hypothétique d'« historicité épistémique » ne renonce jamais à

---

et de ceux sélectionnés par les historiens, peut seulement être menée à la faveur d'une épistémè qui est censée produire une instable stabilité dans l'histoire. Cette épistémè implique un travail pluridisciplinaire, de laboratoire, elle suppose à la fois une précision extrême et un engagement titanesque dans la matière historique. Mais c'est à ce prix que le philosophique s'affirme en cherchant des discontinuités (Koyré, Canguilhem, Althusser). L'acception foucaldienne de l'historicité est le critère de validité du discursif philosophique dans la mesure où il met constamment en rapport un discours véridique, une réalité sociale, économique et institutionnelle, un sujet connaissant et agissant. « Ressaisir la constitution d'une connaissance, c'est-à-dire un rapport entre un sujet fixe et un domaine d'objets dans ses racines historiques, dans ce mouvement du savoir qui l'a rendu possible », c'est ainsi *in fine* que Foucault définit son archéologie dans la revue italienne *Il Contributo* en 1980. D'où l'incidence du savoir historique sur la temporalité présente du sujet philosophique, et de son objet (l'historicité aux prises avec le savoir historique) : « Je ne fais pas », explique t-il, « une théorie du pouvoir. Je fais l'histoire à un moment donné de la manière dont se sont établis la réflexivité de soi sur soi et le discours de vérité qui lui est lié. » *(Dits et Écrits,* IV, 528.) Un exemple : « Analyser la pratique de l'incarcération pénale comme un événement et non comme un fait d'institution ou un effet idéologique, c'est définir les processus de pénalisation (insertion progressive dans les formes de punition légale) ».

[3]. *Dits et Écrits,* IV, 765

l'affirmation de sa justification. Car pour Foucault, « le présupposé est qu'il faut faire une critique rationnelle de la rationalité[4] ».

Les rationalités de la Raison supposent une tension permanente conditionnée à la question d'une anthropologie du point de vue de la culture, de la subjectivation, et du langage. Cette tension permet de délimiter un rapport à l'histoire soutenu par une nouvelle définition de l'historicité. Nous ne saurions en rendre compte totalement, mais nous voudrions en comprendre l'origine en pointant l'importance du commentaire pour Foucault du *Qu'est-ce que les Lumières ?*.

c. A propos de l'*Aufklärung*

« Pour moi, aucune forme donnée de rationalité n'est la raison. Donc, je ne vois pas pourquoi on pourrait dire que les formes de rationalité qui ont été dominantes sont en train de s'effondrer et de disparaître... Je vois de multiples transformations mais pas un effondrement de la raison ; d'autres formes de rationalité se créent. Donc, il n'y a aucun sens sous la proposition selon laquelle la raison est un long récit qui est maintenant terminé, avec un autre récit qui commence[5] ».

En cela, Foucault prend acte de l'irréductibilité des questions consécutives à l'univoque de l'universalité de la raison pratique. En prendre acte signifie qu'il n'y aura plus désormais d'histoire de la raison mais des histoires des rationalités. Et son projet philosophique n'est rien d'autre. Cependant, et contre Habermas, il met à distance

---

4. *Dits et Écrits*, IV, 438.
5. *Dits et Écrits*, IV, 446-447.

le jugement que le philosophe allemand donne de son travail. Selon Habermas, en effet, Foucault aurait décrit magistralement « le moment où la raison bifurque ». A cela Foucault répond que cette bifurcation est kantienne :

« Il y a le savoir de la raison, de la raison technique, de la raison morale, le savoir de l'entendement. »

Pour juger de cette bifurcation, on se place évidemment du point de vue de la raison pratique. Or, explique-t-il, « pour [ma] part, je ne parle pas du moment où la raison est devenue technicienne ».

Et de quoi donc parle-t-il alors ?

Du *Qu'est ce que les Lumières ?*, on retient que l'autonomie de la raison pose la question de savoir comment le philosophique traite du présent[6].

L'*Aufklärung* est décrit par Kant comme le moment où l'humanité va faire usage de sa propre raison, sans se soumettre à aucune autre autorité sinon celle de la raison. La Critique décide des conditions dans lesquelles l'usage de la raison est légitime, et afin de déterminer ce que l'on peut connaître, ce que l'on doit et ce qu'il est permis d'espérer. Lorsque l'usage de la raison est légitime – et l'on ne reviendra pas ici sur ses conditions – son autonomie est assurée.

« La Critique est en quelque sorte le livre de bord de la raison devenue majeure dans l'*Aufklärung*, et inversement, l'*Aufklärung* c'est l'âge de la Critique. »

Foucault explique alors que l'on a fait de l'*Auflkärung* un moment inédit où la philosophie trouvait la possibilité de se constituer comme la figure

---

6. « La vie : l'expérience et la science », in *Revue de métaphysique et de morale,* 90e année, Canguilhem, janvier-mars 1985, IV, 763, écrit posthume.

déterminante d'une époque, et où cette époque devenait la forme d'accomplissement de cette philosophie. Celle-ci peut être lue aussi bien comme n'étant rien d'autre que la composition des traits particuliers à la période où elle apparaît, elle en est la figure cohérente, la systématisation et la forme réfléchie. Mais, d'un autre côté, l'époque apparaissait comme étant l'émergence et la manifestation de ce qu'était en son essence la philosophie. Foucault fait ici explicitement référence à Mendelssohn, *Über die Frage : Was heisst Aufklären ?*.

Ainsi, lorsque Kant répond à la question : « qu'est-ce que les Lumières ? », le statut de la philosophie se donne aussi bien comme un révélateur des significations d'une époque que, comme, « la loi générale qui fixe pour chaque époque la figure qu'elle doit avoir ». La fonction de la philosophie comme histoire générale des savoirs et comme déchiffrement des significations, et de leurs successions historiques est alors devenue possible. De ce fait, la question du « moment présent » devient pour la philosophie, une interrogation dont elle ne peut plus se séparer. La biopolitique dans le libéralisme consacre ce moment. C'est probablement l'enjeu théorique le plus important pour Foucault, et ce qui engage ce choix entre d'une part, le matériau des historiens et d'autre part, son recentrage permanent sur une historicité constitutive du questionnement philosophique. Mais de part et d'autre, il n'y pas de sujet transhistorique qui serait capable de rendre compte de l'historicité des raisons. Cette histoire n'est pas encadrée par un acte fondateur et premier du sujet rationaliste[7].

Dès lors, la question foucaldienne peut être explicitement posée. Il s'agit pour lui de savoir dans

---

7. *in Structuralisme et Poststructuralisme*, op cit.

quelle mesure ce moment relève d'un processus historique général, et dans quelle mesure la philosophie est le point où l'histoire elle-même doit se déchiffrer dans ses conditions.

Pour ce faire, il apparaît nécessaire de mesurer les conséquences de l'*Aufklärung*. L'histoire en tant que savoir est devenue l'un des problèmes majeurs de la philosophie même si les résolutions apportées se sont réalisées de manière très différente en fonction des traditions, on pourrait dire des cultures et des anthropologies des différents pays dans lesquels l'influence des Lumières a portée.

« Il faudrait », poursuit Foucault, « sans doute chercher pourquoi cette question de l'*Aufklärung* a eu, sans disparaître jamais, un destin si différent dans les traditions de l'Allemagne, de la France et des pays anglo-saxons... »

La philosophie allemande lui a donné corps surtout dans une réflexion historique et politique sur la société : l'expérience religieuse dans son rapport avec l'économie et l'État devient centrale, des posthégéliens à l'École de Francfort. En France, c'est l'histoire des sciences qui a surtout servi de support à la question philosophique de ce qu'a été l'*Aufklärung*. D'une certaine façon, Saint-Simon comme le positivisme de Comte et de ses successeurs ont été une manière de reprendre l'interrogation de Mendelssohn et celle de Kant à l'échelle d'une histoire générale des sociétés. Savoir et croyance, forme scientifique, constitution d'un pouvoir rationnel sur fond d'une expérience traditionnelle, apparition, au milieu d'une histoire des idées et des croyances, d'un type d'histoire propre à la connaissance scientifique, origine et seuil de rationalité : ce sont sous ces formes qu'à travers le positivisme – et ceux qui se sont opposés à lui –, à travers les débats tapageurs sur le scientisme et les discussions sur la science médiévale, la question de l'*Aufklärung* s'est transmise en France. Des œuvres comme celles de Koyré, Bachelard, Cavaillès ou Canguilhem peuvent certes avoir pour centres de référence des domaines précis, « régionaux », chronologiquement bien déterminés de l'histoire des sciences, elles ont fonctionné comme des foyers d'élaboration philosophique importants, dans la mesure où elles faisaient jouer sous différentes facettes l'*Aufklärung*.

S'il fallait chercher hors de France quelque chose qui corresponde au travail de Koyré, de Bachelard, de Cavaillès et de Canguilhem, c'est sans doute, déclare Foucault, du côté de l'École de Francfort qu'on le trouverait. Ces interrogations sont celles qu'il faut adresser à une rationalité qui prétend à l'universel tout en se développant dans la contingence, qui affirme son unité et qui ne procède pourtant que par modifications partielles ; qui se valide elle-même par sa propre souveraineté mais qui ne peut être dissociée, dans son histoire, des inerties, des pesanteurs ou des coercitions qui l'assujettissent.

Pour conclure, Foucault souligne que plusieurs faits marquant la seconde moitié du XXe siècle ont ramené au cœur des préoccupations contemporaines la question des Lumières.

Le premier fait est l'importance prise par la rationalité scientifique et technique dans le développement des forces productives et dans le jeu des décisions politiques.

Le deuxième fait est l'histoire même d'une révolution dont l'espoir avait été, depuis la fin du XVIIIe siècle, porté par tout le rationalisme auquel on est en droit de demander quelle part il a pu avoir dans les effets de despotisme où cet espoir s'est égaré.

Le troisième fait, enfin, est le mouvement par lequel on s'est mis à demander, en Occident et à l'Occident, quels titres sa culture, sa science, son organisation sociale et finalement sa rationalité elle-même pouvaient détenir pour revendiquer une validité universelle.

En conclusion, on dira que le caractère irréductible des Lumières réside en ceci : le questionnement philosophique ne peut plus désormais construire des parois étanches entre le mode d'être historique, la constitution de soi-même comme sujet autonome et le rapport au présent. Dès lors, l'*Aufklärung* ne saurait se limiter à la conjoncture dans laquelle les individus se voient garantir leur liberté personnelle de pensée. Il y a *Aufklärung* quand il y a superposition de l'usage universel, de l'usage libre et de l'usage public de la raison.

L'*Aukflärung* est donc considérée simplement comme un processus général affectant toute l'humanité, et ne doit pas être seulement entendue comme une obligation prescrite aux individus, elle apparaît maintenant comme un problème politique. La question est donc de savoir comment l'usage de la raison peut prendre la forme publique qui lui est nécessaire, comment l'« audace de savoir » peut s'exercer en plein jour tandis que les individus obéiront aussi exactement qu'il est possible.

« Et Kant », pour terminer, souligne Foucault « propose à Frédéric II, en termes à peine voilés, un contrat. Ce que l'on pourrait appeler le contrat du despotisme rationnel avec la libre raison : l'usage public et libre de la raison autonome sera la meilleure garantie de l'obéissance, à la condition toutefois que le principe politique auquel il faut obéir soit lui-même conforme à la raison universelle. »

On comprendra au terme de cette interprétation foucaldienne de l'*Aufklärung* qu'il ne s'agit pas de reconnaître en tant que telle l'incidence irréductible des Lumières. Sur ce point il y a consensus. La singularité de Foucault se situe dans une attribution renouvelée de l'historicité.

« Le fil qui nous rattache à l'*Aufklärung*, ce n'est pas la fidélité à des éléments de doctrine mais la réactivation permanente d'une attitude, d'un *ethos* philosophique qu'on pourrait caractériser comme critique permanente de notre être historique. »

d. Qu'est-ce qu'une rationalité politique ?

« Après tout, les pratiques politiques ressemblent aux scientifiques : ce n'est pas la "raison en général" que l'on applique, mais toujours un type très spécifique de rationalité[8]. »

Une rationalité politique est l'adéquation entre des principes de gouvernement, une ou des techniques et des pratiques. Elle se donne comme une causalité démontrable, justifiable intrinsèquement par l'autonomie de fonctionnement qu'elle met en œuvre, par exemple la raison d'État. Voilà pourquoi on ne peut pas limiter l'idée de gouvernement à une instance de souveraineté, le gouvernement est seulement une activité qui donne à voir des liens de causalité démontrable, justifiable, une rationalité procédurale, voire une rationalisation de ces pratiques[9].

---

8. IV, 134.
9. IV, 150.

C'est ainsi que l'on peut dégager des moments spécifiques d'une rationalité politique en fonction d'objectifs. Le donneur d'ordres change, il n'est pas obligatoirement centralisé, et pour la meilleure efficacité, il est nécessairement dilué.

« Si l'État est la forme politique d'un pouvoir centralisé et centralisateur, appelons pastorat le pouvoir individualisateur[10]. »

Dans ce texte Foucault expose le fait qu'il n'y aurait pas d'un côté un État avec ses appareils et ses moyens de coercition (sa violence légitime) et de l'autre ses victimes. Des rationalités peuvent coexister comme le gouvernement pastoral et la raison d'État, voire une autre raison qui commence à se faire jour au sein même de la raison d'État.

Pour plus de clarté, examinons deux modalités exemplaires d'une rationalité politique : la coexistence du gouvernement pastoral et la raison d'État.

Le pouvoir pastoral est en fait la figure sans cesse renaissante du pouvoir spirituel dans la sécularisation du politique. Il se caractérise par quatre missions formalisées par les Hébreux et par David en sa qualité de fondateur de la monarchie :

1° le pasteur exerce un pouvoir sur un troupeau plutôt que sur une terre ;

2° il rassemble, guide et conduit ce troupeau. En ce sens, le chef politique apaise, cherche la cohérence du groupe ;

3° il assure le salut de son troupeau dans la stature du chef timonier bienveillant maintenant son navire à l'écart des récifs. Cette figure est aussi présente chez les

---

10. « Vers une critique de la raison politique », *Dits et Écrits* III, octobre 1979.

Grecs ;

4° il fait primer l'intérêt général sur l'intérêt particulier et assure une veille constante.

Ces missions, que les textes hébraïques associent aux représentations du Dieu-Berger et de son peuple troupeau, ne s'exercent pas exactement dans la société juive avant la chute de Jérusalem ni chez les Grecs. Mais, elles travaillent les conceptions du politique jusque dans le christianisme, jusqu'aux temps modernes.

« De toutes les sociétés de l'histoire, les nôtres [...] ont été peut-être les plus agressives et les plus conquérantes ; elles ont été capables de la violence la plus stupéfiante, contre elles-mêmes et contre les autres. Elles inventèrent un grand nombre de formes politiques différentes, elles modifièrent même leurs structures juridiques. Mais il faut garder à l'esprit qu'elles seules ont développé une étrange technologie du pouvoir traitant l'immense majorité des hommes en troupeau avec une poignée de pasteurs. »

Le pastorat possède des variantes comme le pastorat grec. On se référera ici avec Foucault au *Politique* de Platon en 261 b, 262 a, 271 e, 311 c, au *Critias* en 109 b, ainsi qu'aux *Lois*, 906 b, comme au pastorat chrétien. Ce dernier suppose une connaissance pleine et entière de chacune de ses brebis par le pasteur. De ce fait, le guide du troupeau se donne les moyens de s'assurer de la connaissance individuelle de chacun : l'examen de conscience et la direction de conscience.

Quant à la raison d'État[11], Elle n'est pas un

---

11. Quant à la théorie de la raison d'État proprement dite, tel n'est pas l'enjeu ici. Foucault se réfère à certains textes canoniques en la matière : Botero, *Della ragione di Stato dieci libri*, 1590, livre I :

moment qui adviendrait après l'histoire pastorale, d'ailleurs, ajoute Foucault, le pouvoir pastoral n'est probablement pas celui qui correspondrait aux dix siècles de l'Europe chrétienne catholique et romaine. Il y a du gouvernement pastoral au sein de la raison d'État.

La raison d'État se situe en réalité à l'apogée d'une rationalité politique indépendante qui fixe ses principes et ses moyens, et qui se rend donc autonome des autres sphères : par exemple, de l'économique ou du social. Elle est un principe de raison suffisante à elle seule. Et avec elle, une science politique peut être avancée.

Aussi quand Foucault se ressaisit de Botero, la raison d'État est : « une connaissance parfaite des moyens à travers lesquels les États se forment, se renforcent, durent et croissent ».

Mais alors, ce n'est pas pour désigner la naissance de l'État moderne, mais pour exhiber quels principes et

---

« Quelle chose est la raison d'État » ; Palazzo, *Discours du gouvernement et de la raison d'État*, 1611, 1ère partie : « Des causes et parties du gouvernement », chapitre III. On relira les assertions de Foucault au regard du livre *Raison et Déraison d'État* sous la direction de Yves-Charles Zarka, PUF, 1994. Il faudrait alors commenter la distinction effectuée par Y-C. Zarka dans son introduction. Pour ce dernier, la souveraineté et le gouvernement sont des concepts liés mais distincts. Ce à quoi Foucault acquiescerait probablement volontiers, cette distinction fondant son concept de gouvernement. Par ailleurs, Foucault s'accorderait avec les philosophes et historiens de la philosophie politique pour admettre, comme le souligne Y.-C. Zarka, que la « raison d'État se constitue et se diversifie à la flexion des XVIe et XVIIe siècles. Elle définit les modalités de la pratique gouvernementale dans un monde déchiré par les grandes guerres de Religion (...) Se forgent alors la réalité et le concept d'État moderne. Cela n'implique pas cependant nécessairement que les doctrines de la Raison d'État soient des théorisations de l'État moderne. »

quelles techniques ce type de gouvernement parie en théorisant sa propre puissance. L'État, à ce compte, ne peut être que le résultat de cette opération, ou de ce calcul. On le désigne comme l'État, *Stato* au sens fort du terme, ce qui existe, ce qui est stable. Or cette stabilité aurait pu se réaliser dans tout autre chose, par exemple dans des entités économiques si l'on suppose que le critère de stabilité est autre.

Si l'on s'en tient à la raison d'État, et si on l'examine, il s'agit bien d'une rationalité dans la mesure où d'une part, elle se dote d'une sorte de principe de raison suffisante, d'autre part, elle se donne les moyens de son exercice.

Quant aux techniques, prenons la police. La police, dans la raison d'État, au XVIIe siècle, n'est pas, loin s'en faut, une administration de surveillance, elle est avant tout une technique de gouvernement propre à l'État. Foucault s'appuie, pour démontrer sa thèse, sur l'ouvrage de Turquet de Mayerne (1611), *La Monarchie aristodémocratique ou le Gouvernement composé des trois formes légitimes de républiques*. Il justifie cette référence en disant que le texte en question n'est pas un exemplaire unique et utopique de ce qui est produit alors en la matière, car les propositions de Turquet sont aussi celles qui circulent dans les pays européens au XVIIe siècle. Ces idées se diffusent tout au long des XVIIe et XVIIIe siècles, ou bien sous la forme de politiques concrètes comme le caméralisme et le mercantilisme, ou bien en tant que matière enseignée : en Allemagne, la *Polizeiwissenschaft*.

Quelles sont ces idées ? La première mission de la police est de favoriser la vigueur de l'État ; sa seconde mission est de développer les relations de travail et de commerce entre les hommes, au même titre que l'aide et l'assistance mutuelles. La police, assure Turquet, contribue à la « communication » entre les hommes au sens large du terme, c'est-à-dire qu'elle assure la liaison entre les activités communes des individus : travail, production, échange.

Quant à la raison suffisante : d'une part, la raison d'État est considérée comme un art, c'est-à-dire une technique se conformant à des règles. Celles-ci ne se regardent pas seulement comme des coutumes ou des traditions mais comme des critères de connaissance. Le gouvernement – le fait de gouverner et non l'instance gouvernante – n'est possible que si la force de l'État est connue, et peut être entretenue. Il faut dès lors développer un savoir concret, précis intimement lié au déploiement de la statistique, de l'arithmétique ; d'autre part, cet art tire sa raison d'être de la nature même de ce qui est gouverné, l'État. Ce qui, par là, émancipe le politique d'une mainmise de la cité céleste sur la cité terrestre et du juste sur l'injuste, est le fonctionnement, la dynamique de l'État. Police et raison suffisante sont par conséquent les moteurs de la raison d'État.

e. Qu'est-ce que la rationalité politique du libéralisme ?

Relisons la proposition clôturant la dernière page des tomes de *Dits et Écrits*[12] :

« On ne saurait isoler l'apparition de la science sociale de l'essor de cette nouvelle rationalité politique ni de cette technologie politique. Chacun sait que l'ethnologie est née de la colonisation (ce qui ne veut pas dire qu'elle soit une science impérialiste) ; de la même façon je crois que si l'homme – nous, êtres de vie, de

---

12. *Dits et Écrits* IV, 828.

parole et de travail – est devenu un objet pour diverses autres sciences, il faut en chercher la raison non pas dans une idéologie, mais dans l'existence de cette technologie politique que nous avons formée au sein de nos sociétés. »

C'est ainsi que la biopolitique[13] est la technologie politique du libéralisme naissant et qu'elle vise à

---

13. Les textes concernant directement la biopolitique sont au nombre de cinq dans *Dits et Écrits*. Une conférence prononcée en 1974 à Rio et intitulée *El nascimiento de la medecina social* (III, 210). Ce texte a été publié en 1977 dans une revue de sciences de la santé en Amérique centrale. Cette conférence est particulièrement intéressante parce qu'elle situe le sens de la médicalisation initiée au XVIIIe siècle. Un deuxième écrit datant de 1979 porte le titre de *La Politique de la santé au XVIIIe siècle* (III,723). Il a permis de familiariser au concept de biopolitique puisqu'il a été publié immédiatement dans *Les Machines à guérir, aux origines de l'hôpital moderne*. Il s'agit ici de mettre en évidence la finalité de la biopolitique au XVIIIe siècle : mise en place d'un programme de santé permettant le « mieux-vivre » voire le « bien-vivre ». Autrement dit, cette rationalité politique est comme on l'a vu animée par la volonté eschatologique de « produire » le bonheur des peuples et des populations. Le troisième texte est celui qui est commenté maintenant, c'est-à-dire la présentation du séminaire au Collège de France de l'année 1978-1979 (IV, 818). Le quatrième texte s'intitule *Les Mailles du pouvoir*. C'est une conférence prononcée à l'université de Bahia en 1976 (IV,193). Dans cette synthèse, Foucault formule le point d'articulation entre l'intérêt d'un gouvernement pour la santé et la question du sexe. « Le sexe », écrit-il, « est à la charnière entre l'anatomico-politique et la biopolitique, il est au carrefour des disciplines et des régulations, et c'est dans cette fonction qu'il est devenu, à la fin du XIXe siècle, une pièce politique de première importance pour faire de la société une machine de production. » Le cinquième texte, particulièrement prémonitoire porte sur la confluence des intérêts des grandes entreprises pharmaceutiques et de la consommation de santé, il s'intitule « La Technologie politique des individus ». Il a fait l'objet d'une communication à l'université du Vermont en 1982. (IV, 826). Ce texte est commenté dans le chapitre III.

améliorer ses performances jusqu'au déclin de sa raison d'être : l'évanescence des régimes de santé issus de programmes élaborés dès le XVIIIe siècle.

Giorgio Agamben apporte une précision et un commentaire éclairant sur la biopolitique[14]. La biopolitique ne serait rien d'autre que la politisation de la vie nue, c'est-à-dire de la *zoë* distincte du *bios*. *Zoë* signifie le simple fait de vivre, commun à tous les êtres vivants animaux, hommes et dieux, tandis que *bios* renvoie à la forme ou à la façon de vivre propre à un individu ou à un groupe (*bios theörêtikos* – vie contemplative ; *bios apolaustikos* – objet de plaisir ; *bios politikos* – vie du citoyen).

Agamben est moins intéressé par l'insertion dans la politique moderne de la *zoë*, et par le fait que la vie comme telle devient un objet éminent des calculs et de prévisions de pouvoirs étatiques ; le fait décisif est plutôt que l'espace de la vie nue, situé à l'origine en marge de l'organisation politique, finit progressivement par coïncider avec l'espace politique, où exclusion et inclusion, extérieur et intérieur, *bios* et *zoë,* droit et fait entrent dans une zone d'indifférenciation[15]. Dans *Homo sacer*, Agamben dit traiter de ce point de jonction entre le modèle juridico-institutionnel et le modèle biopolitique du pouvoir.

La naissance de la médecine sociale articule raison d'État, gouvernement et utilisation sociale des objets scientifiques (par exemple, évolution des relations entre l'espèce humaine, le champ bacillaire ou viral et les interventions de l'hygiène, de la médecine, des

---

14. Giorgio Agamben, *Homo Sacer, le pouvoir souverain et la vie nue*, Seuil, L'ordre philosophique, 1995.
15. 17 *Homo Sacer.*

différentes techniques thérapeutiques). Ce moment dans lequel s'agrègent les trois registres qualifie la biopolitique. En effet, dans la raison d'État, le seul objet du politique est l'État, son « persévérer dans son être ». Un peu plus tard, le « persévérer dans son être » se déploie en optimisant les ressources humaines (les premiers recensements datent du XVIIe siècle), les ressources virtuelles (tables de natalité) ou vives de la nation. Alors l'objet du politique n'est plus l'État *stricto sensu*, car celui-ci est consolidé. Son objet est la santé des populations. C'est ainsi que Foucault retrace l'histoire de la médicalisation comme décision volontaire permettant d'agir sur le matériau humain, d'en être le garant et le gestionnaire. Il distingue entre médecine d'État, médecine urbaine, et médecine de la force de travail.

La médicalisation est donc le fait que l'existence, la conduite, le comportement, le corps humain s'intègrent dans une économie de la santé, c'est-à-dire qu'elle intègre l'amélioration de la santé, des services et de la consommation de santé dans le développement de sociétés privilégiées.

Prenons l'exemple du mercantilisme.

« Le mercantilisme n'est pas simplement une théorie économique, mais il est aussi une pratique politique qui vise à réguler les courants monétaires internationaux, les flux correspondants de marchandises et l'activité productrice de la population. La politique mercantiliste reposait essentiellement sur l'accroissement de la production et de la population active dans le but d'établir des échanges commerciaux qui permettent à l'Europe d'atteindre la plus grande influence monétaire possible, et ainsi de financer l'entretien des armées et de tout l'appareil qui confère à un État, la force réelle dans ses relations avec les autres[16] ».

La médicalisation prend par conséquent des formes différentes suivant les pays européens. Synthétiquement, on dira que la Prusse est fortement étatisée. En France, les processus de médicalisation maîtrisent les phénomènes d'urbanisation et de désertification des campagnes. De ce fait, les savoirs nouvellement mis à contribution ne relèvent pas nécessairement des savoirs médicaux, car on étudie les lieux d'accumulation des déchets, on pense à de nouvelles formes, de sépulture, plus hygiéniques – cercueil individuel –, on demande aux chimistes comme Fourcroy de se pencher sur les relations entre l'organisme vivant et l'air ambiant afin de savoir s'il faut déplacer les cimetières *extra-muros*. On vérifie la qualité de l'eau et de l'air, en conséquence de quoi on imagine une urbanisation nouvelle (couloir d'aération, courants d'air). En 1767, l'architecte Moreau organise et crée des rives et des îles à Paris. En Grande-Bretagne, avec le développement industriel et, la formation d'un prolétariat apparaît une médecine sociale. Foucault met alors en corrélation deux faits historiques : la loi des pauvres et la médicalisation. La loi des pauvres est un moyen de satisfaire les besoins de santé des plus pauvres en recevant des soins gratuits ou à moindre coût. Les « riches » se libèrent du risque d'être les victimes de phénomènes épidémiques issus de la classe des plus défavorisés. Dans cette droite ligne sont conçus et mis en place les *Health Services* et les *Healths Offices* qui, à la fin XIXe siècle, ont eu pour fonction de contrôler les vaccinations, d'organiser les registres des épidémies et des maladies pouvant devenir des épidémies, de localiser les lieux insalubres, voire de les détruire. Des trois systèmes, seul ce dernier aura un véritable avenir créant

---

16. IV, 212.

des liens évidents entre santé publique et industrie pharmaceutique, entre contrôle sanitaire et consommation de médicaments.

2ème moment.
Une règle interne

a. Position du problème

Une option est prise, on analysera le libéralisme comme une pratique, en référence à Paul Veyne.

« L'analyse des pratiques discursives permettait de suivre la formation des savoirs en échappant au dilemme de la science et de l'idéologie ; l'analyse des relations de pouvoir et de leurs technologies permettait de les envisager comme des stratégies ouvertes – en échappant à l'alternative d'un pouvoir conçu comme domination ou dénoncé comme simulacre[17]. »

Cette approche rompt délibérément avec les grands schémas hégéliens du type État / société civile.

« Plutôt que de faire de la distinction État-société civile un universel historique et politique qui peut permettre d'interroger tous les systèmes concrets, on peut essayer d'y voir une forme de schématisation propre à une technologie particulière de gouvernement. »

Puis, est donnée une définition du libéralisme par opposition à la raison d'État. Certes le moment libéral borne la raison d'État, mais il ne remet pas en cause le concept de gouvernement bien qu'il le soupçonne en creux d'un excès principiel, le « trop-gouverner ». La pertinence du commentaire foucaldien est bien à cet endroit : le gouvernement est davantage l'activité de gouverner qui existe dès qu'il y a gestion et réponse

---

17. IV, 540.

gestionnaire données à un phénomène, plus que l'instance représentative et légitime autorisant l'acte de gouverner. Le moment libéral transforme la raison d'État, en la décentrant, et promeut une « raison gouvernementale ». A cet égard, Foucault écrira au terme de sa présentation, se tournant vers Franklin :

« Le libéralisme s'est présenté, dans un contexte très défini, comme une critique de l'irrationalité propre à l'excès de gouvernement, et comme un retour à une technologie de « gouvernement frugal. »

b. De la société et de la société civile

Pour ce faire, ce gouvernement s'appuie sur la société :

« La réflexion libérale ne part pas de l'existence de l'État, trouvant dans le gouvernement le moyen d'atteindre cette fin qu'il serait pour lui-même, mais de la société qui se trouve être dans un rapport complexe d'extériorité et d'intériorité vis-à-vis de l'État. »

Lorsque Foucault mentionne l'importance que revêt soudainement la société dans le moment libéral comme moyen fonctionnel, semble-t-il, de ce moment, aucune définition de la société n'est donnée. Distingue t-il société de société civile ? Fait-il allusion aux *Principes de la Philosophie du droit* de Hegel et particulièrement aux § 182 additif, § 183 (la société civile bourgeoise), § 189 Remarque, additif (le système des besoins et les lois de l'économie), § 192, additif, § 193, § 194 Remarque (le besoin et sa représentation sociale) ?

On peut au moins supposer qu'un commentaire implicite est sous-jacent et il faudrait maintenant en rendre compte.

« Le soupçon que l'on risque de trop gouverner est

habité par la question : pourquoi donc faudrait-il gouverner ? De là, le fait que la critique libérale ne se sépare guère d'une problématique, nouvelle, de la « société » : c'est au nom de celle-ci que l'on va chercher à savoir pourquoi il est nécessaire qu'il y ait un gouvernement, mais en quoi on peut s'en passer, et sur quoi il est utile ou nuisible qu'il intervienne. »

Foucault prétendrait-il que l'appel à la société contribue à limiter l'extension d'une raison d'État ?

Pour Hegel, au contraire, la société civile est le moment transitoire entre la famille et l'État, elle est antérieure à la forme État. Cependant cette observation chronologique, si elle importe quant au processus du système du droit hégélien, peut être évacuée provisoirement. Ce qui importe, ce sont les caractéristiques de cette société civile.

La fonction de la société civile – fonction de médiation – ne peut être retenue dans le contexte foucaldien ; en revanche, ce qui se passe à l'intérieur de cette transition, c'est-à-dire cette tension entre l'individu isolé et la collectivité considérée dans son ensemble, fixant un sens à toutes ses activités, est probablement présente dans le recours foucaldien au concept de société. Néanmoins, Foucault ne commente en rien la précision avec laquelle Hegel interpose des formes intermédiaires d'association ou « des systèmes particuliers de besoins » (§ 201), c'est-à-dire des états (*Stand*), afin de faire fonctionner ce moment qu'est la société civile. Ces états, rappelons-le, correspondent à des fonctions sociales spécialisées, remplies par une catégorie déterminée d'individus qu'elles rassemblent chacune dans son ordre (paysannerie, industrie et commerce, fonctionnaires).

Comme le soulignent Pierre Macherey et Jean-

Pierre Lefebvre[18], la notion de classe advient alors pour désigner la séparation croissante entre des catégories d'individus dont les intérêts divergent de plus en plus à mesure que l'accumulation des richesses devient, à l'autre pôle de la société civile, accumulation de la pauvreté. En effet, au moment où se constituent ces « classes », la représentation de la société considérée comme un tout se défait, laissant libre jeu à des conflits qui, à terme, mettent en question l'existence même de la collectivité. La notion de classe exprime donc l'idée contraire de celle qui se trouve dans la notion d'État, celle-ci supposant l'intégration de l'individu dans un ensemble auquel il appartient organiquement, et par l'intermédiaire duquel il devient lui-même membre d'une collectivité ; l'autre correspond au moment où ce lien se désagrège, en même temps que disparaît toute idée d'intérêt commun.

Si la distinction entre société civile du point de vue hégélien et du point de vue foucaldien paraît opportune, c'est parce que celui-ci, s'accoude sur la société pour analyser le moment libéral. Par là, il prétend battre en brèche la distinction État / société, sous-entendue société civile.

« Plutôt que de faire de la distinction État-société civile un universel historique et politique qui peut permettre d'interroger tous les systèmes concrets, on peut essayer d'y voir une forme de schématisation propre à une technologie particulière de gouvernement. »

Dans le § 257 et dans la remarque du § 258 des *Principes de la Philosophie du droit,* Hegel note qu'il existe une certaine confusion entre la société civile et l'État dans les théories contractuelles de la société qui la

---

18. Pierre Macherey et Jean-Pierre Lefebvre, *Hegel et la société*, PUF collection « philosophies », novembre 1984.

font dépendre du consentement des particuliers, et de leurs fins singulières. Or, commentent Pierre Macherey et Jean-Pierre Lefebvre, « l'élément d'universalité n'occupe qu'une position subordonnée : il en résulte qu'il n'est pas réfléchi comme tel dans la conscience des individus. (...) Quand on confond l'État avec la société civile bourgeoise, quand on lui assigne pour détermination la sécurité et la protection de la propriété et de la liberté des personnes, c'est l'intérêt des individus en tant que tel qui constitue alors la fin ultime en vue de laquelle ceux-ci sont réunis et, du coup, être membre de l'État devient une décision de l'ordre du bon vouloir ».

Les membres de la société civile, les agents économiques, n'ont pas les moyens de se représenter la collectivité à laquelle ils appartiennent de telle manière qu'elle leur apparaisse comme une fin au moins possible ; mais ils ne la réfléchissent qu'à travers leurs exigences et les aléas de leur existence particulière ; et pourtant leur comportement est déterminé par leur appartenance à ce tout dont ils ne sont que les éléments. La contradiction prend sa forme la plus aiguë dans la conscience des individus quand la société civile s'appuie sur la représentation ou sur l'opinion. C'est une conscience incomplète et aliénée, à laquelle l'universel reste extérieur, et c'est pourquoi elle se ramène finalement à un jeu arbitraire d'opinions pouvant être plus ou moins contrôlées. Le libre choix des individus, qui croient décider ce qui est le meilleur pour eux-mêmes, n'est qu'une indépendance illusoire, un effet de miroir. Il y a donc dans la société civile illusion de liberté. Et sur ce point Foucault, hormis le statut méthodologique de la distinction État / société civile, est en accord avec les *Principes* (§ 182). La contradiction inhérente à la société civile est donc claire. Hegel, dans le § 182, distingue deux principes. « La société civile se constitue à partir d'un principe de particularité, représenté dans les individus qui en sont les membres, littéralement ce sont les particuliers. Le « particulier » est la personne concrète qui est à soi-même sa propre fin, c'est-à-dire qui se prend elle-même pour fin exclusive de son activité, et de ses besoins. L'individu que décrit Hegel est l'agent économique selon la conception élaborée aux XVIIe et XVIIIe siècles par les théories de l'individualisme possessif, c'est-à-dire le propriétaire individuel qui se définit par cette vocation à défendre le bien qui lui appartient en propre et auquel il s'identifie, parce que son acquisition ou sa conservation sont nécessaires à sa constitution particulière, à sa constitution de particulier. C'est cette possession exclusive qui fait de lui un membre de la société civile : en tant que membre ou citoyen de l'État, il sera sujet politique. Second principe : dans la société civile, le principe de particularité est associé à une certaine forme d'universalité. L'existence de l'individu « est par essence en relation à une autre particularité de même espèce, relation où chacune se fait reconnaître et se satisfait grâce à l'autre » (§ 182).

Dans le cadre de la société civile, les individus particuliers nouent des liens d'échange, des rapports de travail, donc deviennent des membres d'une collectivité, et c'est à travers cette appartenance qu'ils cherchent à satisfaire leur propre intérêt. Ainsi la société civile reste une société en maintenant entre les individus un rapport social qui détermine leur existence en référence à des normes collectives[19].

19. Pierre Macherey et Jean-Pierre Lefebvre, *Hegel et la société*, PUF collection « philosophies », novembre 1984.

c. La règle interne

Dès lors que Foucault a délimité ce contre quoi le moment libéral s'instaure, et avec quoi il fusionne dans son fonctionnement, il s'agit maintenant de connaître quel est son ressort, quel est son « principe ».

Le principe, semble-t-il inédit, de cette rationalité qui se méfie d'elle-même (« on gouverne toujours trop ») est d'étendre une « règle interne de l'économie maximale ». Qu'entend-on par là ?

Tout laisse à penser que Foucault va limiter le libéralisme au point de vue politique. Or l'intérêt et l'actualité de son acception tient à un double diagnostic qui rend compte de la contradiction majeure d'un régime de liberté politique et économique, ce qu'André Tosel appelle la « synthèse harmonique du libéralisme[20] ».

Pour Foucault, il ne s'agit pas de dissocier le libéralisme économique du libéralisme politique, l'un renvoie à l'autre ou plus exactement, il y aurait une sorte de « règle interne » misant sur une maximalisation qui serait de nature économique, c'est-à-dire qui serait en rapport direct avec le procès, la production comme telle. Le « maximum » signifie une optimisation, un rapport de simple rendement : soit la production maximale de quoi que ce soit avec le moindre coût. Cela veut dire que le gouvernement n'a pas l'exclusive du politique, ou plutôt le politique comme activité de gouvernement obéit à cette règle de maximalisation, à une règle productive. Autrement dit, dans son fondement même, le politique est subjugué par une règle économique. Il ne faut donc pas prendre à la lettre le gouvernement comme instance,

---

20. André Tosel, *Démocratie et libéralismes, Pour une philosophie pratique de l'action*, Éditions Kimé, Paris, 1995.

entité reconnue comme telle, mais comme actualisation de cette règle interne de l'économie dite maximale. Or cette règle qui mise fondamentalement sur la production et la reproduction d'elle-même – c'est pour cela qu'elle est de nature absolument économique –, est l'aune selon laquelle fonctionne la rationalisation libérale, c'est-à-dire le processus de rationalité spécifique. Elle recèle cependant une limite : « elle ne saurait être sa propre fin », « elle n'a pas en soi sa raison d'être » et « n'a pas à être son principe régulateur ». Autrement dit, deuxième moment du diagnostic, le moment libéral repose sur une sorte de mouvement autoréférentiel, dont la seule raison d'être est une amplification et une maximalisation se méfiant cependant de sa rationalité, à l'inverse de la raison d'État qui a foi en elle-même. Reste à savoir comment cette rationalité spécifique s'obtient concrètement.

Le moment libéral à sa naissance instaure d'emblée un processus dans lequel les frontières entre l'économique et le politique sont imprécises. Et, si l'on sait contre quoi le libéralisme s'instaure : la raison d'État dans sa représentation, on ne sait pas sur quoi il se fonde, sinon cette règle interne qui ne se justifie que de son efficace. Autrement dit sa rationalité à ce niveau est tronquée, elle est injustifiable au-delà d'elle-même.

Il n'y aurait donc pas de fondation extérieure permettant de justifier sa nécessité sinon l'exercice de sa propre nécessité. L'optimisation permanente de son procès borne cependant cette rationalité comme absence de fondement et cercle vicieux justifiant le politique par l'économique et réciproquement. L'un et l'autre se répondent malgré la préséance de l'économique sur le politique, préséance attribuée par une règle interne.

d. Le gouvernement

Finalement, Foucault en vient quasiment à déclarer que le libéralisme, compte tenu de cette règle interne a pour but d'étioler progressivement l'État jusqu'à le faire disparaître sans remettre en cause le concept de gouvernement qu'il reprend, pourrait-on dire, à son compte. Le concept de gouvernement est étendu autant à la sphère du politique qu'à la sphère économique Précisons provisoirement ce que signifie ce concept de gouvernement[21]: « il faut laisser à ce mot la signification très large qu'il avait au XVIe siècle. Il ne se référait pas seulement à des structures politiques et à la gestion des États ; mais il désignait la manière de diriger la conduite d'individus ou de groupes : gouvernement des enfants, des âmes, des communautés, des familles, etc. Il ne recouvrait pas simplement des formes instituées et légitimes d'assujettissement politique ou économique ; mais des modes d'action plus ou moins réfléchis et calculés, et tous destinés à agir sur les possibilités d'action des individus. Gouverner, en ce sens, c'est structurer le champ d'action éventuel des autres. »

Il s'agit alors de concevoir le concept de gouvernement à partir d'autre chose que l'État.

« La réflexion libérale ne part pas de l'existence de l'État, trouvant dans le gouvernement le moyen d'atteindre cette fin qu'il serait pour lui-même ; mais de cette société qui se trouve être dans un rapport complexe d'extériorité et d'intériorité vis-à-vis de l'État. C'est elle – à la fois à titre de condition et de fin dernière – qui permet de ne plus poser la question : comment gouverner

---

21. IV, 237, in « Le Sujet et le Pouvoir ».

le plus possible et au moindre coût possible ? Mais plutôt celle-ci : pourquoi faut-il gouverner ? C'est-à-dire : qu'est-ce qui rend nécessaire qu'il y ait un gouvernement et quelles fins doit-il poursuivre, à l'égard de la société, pour se justifier d'exister ? L'idée de société, c'est ce qui permet de développer une technologie de gouvernement à partir du principe qu'il est déjà en lui-même "de trop" – en excès – ou du moins qu'il vient s'ajouter comme un supplément auquel on peut et on doit toujours demander s'il est nécessaire et à quoi il est utile. »

e. Gouvernement et gouvernementalité

Le concept de « gouvernement » est plus largement exploité dans celui de « gouvernementalité[22] » qui émerge en 1978. Nous nous en tiendrons aux deux premières acceptions de la gouvernementalité.

« Par gouvernementalité, je veux dire trois choses, écrit Foucault,
« 1° j'entends l'ensemble constitué par les institutions, les procédures, analyses et réflexions, les calculs et tactiques qui permettent d'exercer cette forme bien spécifique et bien complexe de pouvoir, qui a pour cible principale la population, pour forme majeure l'économie politique, pour instrument technique essentiel les dispositifs de sécurité ;
« 2° la tendance qui dans tout l'Occident, n'a cessé de conduire, et depuis fort longtemps vers la prééminence de ce type de pouvoir qu'on peut appeler « le gouvernement » sur tous les autres ; et qui se dissocie de la souveraineté et du pouvoir comme

---

22. III, 63, *La governementalità.*

discipline. Ce gouvernement a amené, le développement de toute une série de savoirs ;

« 3° par gouvernementalité, il faudrait entendre le processus, ou plutôt le résultat du processus, par lequel l'État de justice au Moyen-Age, devenu aux XVe et XVIe siècles État administratif, s'est trouvé petit à petit gouvernementalisé[23]. »

---

23. A la Renaissance, dans son extension et son usage, la simple notion de gouvernement se substitue à celle de pouvoir. Pour gouverner les autres, il faut d'abord se gouverner soi-même. Dans les années 70, des relations de pouvoir, historiquement déterminées, jouent comme matrices de formes de savoir et de formes de subjectivité. Par exemple, le pouvoir disciplinaire produit des individus comme sujets constitués par rapport à la norme, et se donne un certain type de sciences humaines. En 78, la problématique de la gouvernementalité s'instaure en articulant des formes de savoir, des relations de pouvoir et des processus de subjectivation comme autant de plans distincts. La notion trop massive de pouvoir empêchait de penser la résistance : elle n'était qu'une modalité du rapport de forces. L'idée de résistance au pouvoir relevait alors d'un contresens : il n'y a de résistance que dans le pouvoir, mais rien n'est si extérieur au pouvoir qu'il ne puisse s'y opposer. Au contraire, on peut résister à des formes de gouvernement. Alors Foucault peut penser son propre travail comme introduction de points de résistance (voir sur cette hypothèse Frédéric Gros, *Foucault*, PUF. Que sais-je ?). Par ailleurs, la notion de gouvernement permet de sortir de l'opposition modèle juridique / modèle stratégique et d'ouvrir les relations aux jeux de la liberté : « Le mode de relation propre du pouvoir ne serait donc pas à chercher du côté de la violence et de la lutte ni du côté du contrat et du lien volontaire mais du côté de ce mode d'action singulier – ni guerrier ni juridique – qu'est le gouvernement. L'exercice du pouvoir comme mode d'action sur les actions des autres, quand on les caractérise par le gouvernement des hommes les uns par les autres – au sens le plus étendu de ce mot – on y inclut un élément important : celui de la liberté » (*Dits et Écrits, IV, 237*)

f. Le gouvernement est l'« État de gouvernement »

Dans le terme de « gouvernement », il faut retenir trois choses : 1° l'apparition de la notion neutralise l'exclusive de la domination dans le fait de souveraineté. La souveraineté limite la question du pouvoir parce qu'elle la clôt dans une série à trois termes, soit pouvoir / souveraineté / *dominium*, et cela dans une sorte de syllogisme voir : *Le Prince* de Machiavel et *L'Anti-Machiavel* de Frédéric II [24].

Le tournant impulsé par l'État de gouvernement est

---

24. Le politique est seulement pensé comme maintien de la souveraineté d'un souverain sur un État. Pour qu'il y ait maintien du souverain, il faut qu'il y ait domination, *dominium*. Quel est le mécanisme syllogistique ? – Le prince, c'est-à-dire le principe, est extérieur. Pourquoi ? Parce qu'il reçoit sa principauté soit par héritage, soit par acquisition, soit par conquête. – Corollaire de ce principe : dans la mesure où la source du principe est extérieure, il est fragile, et par conséquent, il ne va pas cesser d'être menacé de l'intérieur ou de l'extérieur. On peut en effet toujours trouver principe plus légitime. – D'où un impératif : l'objectif de l'exercice du pouvoir est de renforcer et protéger. – Conséquence : gouverner, c'est repérer les dangers. Posséder cette compétence constitue le savoir-faire du prince.
Le gouvernement s'oppose très clairement à la souveraineté sur un autre point. La souveraineté, aussi bien dans les textes juridiques que théologiques que philosophiques, n'est pas l'exercice pur et simple de la souveraineté par un souverain. « Le souverain légitime n'est pas fondé à exercer son pouvoir, un point c'est tout. Le souverain doit toujours se proposer une fin, c'est-à-dire le bien commun et le salut de tous ». Foucault cite Pufendorf. Or ce bien commun et ce salut de tous sont obtenus par l'obéissance des sujets, c'est la justification de l'obéissance. C'est, pour Foucault, une définition circulaire du pouvoir qui finalement n'est pas très éloignée de celle de Machiavel « quand il déclarait que l'objectif principal du Prince se plaçait dans le fait de maintenir sa principauté ; on est bien toujours dans le cercle de la souveraineté par rapport à elle-même ».

celui-ci : l'économique parcourt le politique, ou plutôt le politique est parcouru par l'économique, parce que le gouvernement se définit dans le fait d'administrer et de gérer.

Jusqu'à Machiavel, l'art de gouverner se caractérise avant tout comme acte de se maintenir au pouvoir et de créer une stabilité (*stare,* État). Dans la question politique de Machiavel ce qui est en jeu est la conservation du pouvoir, c'est la naissance de la stabilité proprement dite, c'est-à-dire aussi la naissance de l'État.

Cet art de gouverner repose sur les questions suivantes : comment être gouverné ? par qui ? jusqu'à quel point ? à quelles fins ? La problématique du gouvernement en général entretenue par Machiavel, et par les commentaires critiques du texte de Machiavel, s'oppose à *L'Œconomique du Prince*[25].

L'art du gouvernement, tel qu'il apparaît dans toute cette littérature, répond essentiellement à une interrogation : comment introduire l'économie, c'est-à-dire la manière de gérer comme il faut des individus, des biens, des richesses. « L'introduction de l'économie à l'intérieur de l'exercice politique, c'est cela je crois, qui sera l'enjeu essentiel du gouvernement. »

Foucault s'appuie alors sur un ensemble de textes du XVIIIe siècle, de l'article de Rousseau « Economie politique » (c'est-à-dire de la manière dont on passe d'une gestion familiale de la maison à la gestion générale de l'État), à Quesnay. Chez Quesnay, il s'intéresse au « gouvernement économique ». Quesnay parle d'économie, comme essence même du gouverner, c'est-à-dire art d'exercer le pouvoir économique. Mais loin de s'arrêter aux thèses de Quesnay, Foucault discute ce qui oppose La Mothe Vayer et Guillaume de La Perrière à

---

25. 1653, La Mothe Vayer.

Machiavel : Pour Foucault, l'opposition repose sur le choix du mode de gestion.

La distinction amorcée par la Perrière justifie la finalité du politique. Ainsi le *Miroir politique*, évoque diverses manières de gouverner et de policer les républiques (Paris, 1555), « gouvernement est droite disposition des choses desquelles l'on prend charge pour les conduire jusqu'à fin convenable ».

Les choses, ce sont les richesses, les ressources, les subsistances, le territoire, avec ses qualités, son climat, sa fertilité, etc.

Ce qui permettait à la souveraineté d'atteindre sa fin, l'obéissance à la loi, c'était la loi elle-même ; loi et souveraineté faisaient donc absolument corps l'une avec l'autre. Au contraire, maintenant, la fin du gouvernement est dans les choses qu'il dirige, elle est dans la maximalisation ou l'intensification des processus qu'il régit. Dans cette perspective, la loi n'est pas un instrument majeur. D'ailleurs, les physiocrates et les économistes du XVIIIe siècle expliquent que ce n'est pas avec la loi que l'on peut effectivement atteindre les fins du gouvernement. Il faut au contraire faire jouer l'autorégulation des récoltes et des ventes qui seule permet l'établissement d'un prix naturel du grain. Gouverner consiste à favoriser le plus possible le libre jeu du marché, et à intervenir le moins possible sous forme de décrets d'État (premier cours de l'année 1978). On pourrait dire qu'avec le gouvernement s'instaurent enfin des prix vrais des choses.

Vient alors l'idée d'un gouvernement qui s'appuie sur la vérité des choses à gouverner, l'idée d'un gouvernement qui ne gouverne plus en intensifiant les appareils d'État, mais en s'ajustant à la vérité du marché (c'est-à-dire en s'auto-alimentant toujours plus dans des interventions délibérées). C'est l'âge du libéralisme et de la naissance de l'économie politique.

Le libéralisme du XVIIIe siècle se présente donc comme la tentative de faire fonctionner une naturalité du marché (au moment même où il prenait comme objet la population dans sa dimension d'espèce vivante : biopolitique) en contestant la dimension d'artifice introduite par l'interventionnisme étatique.

Le néo-libéralisme[26] allemand d'après-guerre met

---

26. On appelle « néo-libéralisme », du point de vue politique, social et économique, le courant libéral de la période qui va de 1930 à 1970, c'est-à-dire celle qui se place après la guerre de 1914-1918, après la révolution bolchevique et la dépression des années 30. Durant cette période, les valeurs libérales (droits et libertés individuelles, État minimal, libre entreprise, indéterminisme historique) cédèrent le pas devant les projets de société dont les pouvoirs publics devaient se faire interprètes et les sciences sociales le guide (droits collectifs, État providence, planification, étatisation, historicisme). Résurgence plus que révision du libéralisme, le néo-libéralisme est une réaction contre cette tendance étatiste et collectiviste. Cette réaction se manifeste d'abord autour de la Première Guerre mondiale avec entre autres des membres de l'école autrichienne (Mise, Hayek), ensuite à partir des années 60 aux États-Unis avec les monétaristes friedmaniens (École de Chicago) et les nouveaux économistes de l'École libertarienne (Buchanan, Rand, Rothbard, Nozick). En août 1938 à Paris, se tint le colloque Lippmann du nom de son instigateur, Walter Lippmann, économiste américain, éditorialiste au *New York Herald Tribune*. Ce colloque marque une date importante dans la renaissance du libéralisme. Il réunissait des personnalités de renom qui, face à ce que ces économistes jugeaient la complaisance de l'Occident à l'égard du communisme et du fascisme menaçants, réaffirmèrent les mérites de la liberté individuelle et de la libre concurrence. Au printemps 1947, une quarantaine d'intellectuels fondaient en Suisse romande, à l'instigation de August von Hayek qui recevra le prix Nobel d'économie en 1974, « la société du Mont-Pèlerin » pour restaurer la confiance dans les vertus de l'initiative individuelle, de la propriété privée et du marché. Elle compte aujourd'hui des centaines de membres répartis dans une vingtaine de pays. Depuis la récession

en œuvre une gouvernementalité qui ne s'appuie plus sur une affirmation d'un État (pour exclure la possibilité d'un ressurgissement du spectre nazi), afin que se puissent fonder une cohésion, une communauté sociale sur les seules lois du marché. Dès lors, le seul État qui puisse être consolidé, est bien un État de droit comme simple garantie du respect des lois du marché, n'introduisant pas d'objectifs économiques précis. Dans les termes du néo-libéralisme allemand, toute planification, tout dirigisme économique entraîne le risque d'une dérive totalitaire.

économique du milieu des années 1970, la crise de l'État providence, un puissant retour au libéralisme s'observe en Occident, autant dans les esprits que dans les pratiques économiques. Sur le plan de la science économique on assiste au reflux du keynésianisme : des voix nombreuses et de plus en plus pertinentes réclament, sur la base de calculs strictement économiques, le retour à la vérité des prix, à la concurrence la plus libre possible, à la régulation spontanée par le marché, conçue comme le seul moyen véritable de servir même la justice sociale. Cette école, dite de la nouvelle économie ou « libertarienne », née aux États-Unis, mais qui trouve des échos en Europe, renoue avec l'inspiration « autrichienne » et remet à l'honneur des penseurs comme Hayek, Lemieux, Lepage, Rosa et Aftalion. Sur le plan politique, ce libéralisme défend la primauté de la liberté sur l'égalité, des droits individuels sur les droits collectifs. Il récuse bien évidemment la critique marxiste du formalisme des droits et de la liberté, et il s'oppose aux droits socio-économiques (au travail, à la santé) qui pourraient mettre en péril les droits politiques fondamentaux. Sur le plan épistémologique, ce néo-libéralisme réaffirme, à l'encontre des théories durkheimiennes, marxistes et de celles de la mort du sujet, le principe de l'individualisme méthodologique (Mises, Hayek, en France : Boudon et Bourricaud) selon lequel les phénomènes sociaux sont des interactions entre individus autonomes qui s'expliquent moins en les rapportant à des déterminismes sous-jacents qu'en les restituant aux choix intentionnels des agents. (Définition de R. Gervais, in « Les notions philosophiques », *Encyclopédie universelle,* PUF.)

Pour finir, Foucault considère que les États-Unis des années 50 dessinent une nouvelle « gouvernementabilité » : à partir de la définition d'un *homo economicus* comme calcul d'intérêts, il recherche une « gouvernementabilité » s'appuyant sur la rationalité supposée des sujets. Le néo-libéralisme américain tend à définir la rationalité du marché, non pas comme donnée première du gouvernement autour de laquelle constituer des instances correctrices (au niveau des effets sociaux ou de la constitution de monopoles) et édifier une cohésion sociale, mais comme un modèle formel permettant de résoudre l'ensemble des problèmes de la société.

A l'horizon de ces pratiques, remarque Foucault, se configure une société non plus disciplinaire ni normalisatrice, mais une société d'action environnementale et d'optimisation des différences.

Arrivé à ce stade, on est néanmoins gêné par le caractère relativement général de ce que Foucault appelle libéralisme et bien qu'il délimite son inscription à l'aube du XVIIIe siècle. Et dans la mesure où il prétend analyser des sociétés qui ont une géographie et un calendrier, il est clair que concernant le libéralisme, l'inscription historique importe. A quelles mouvances du libéralisme Foucault fait-il ici référence ?

Si, on l'a bien compris, il ne s'agit pas de faire une histoire du libéralisme, ni même une généalogie mais de considérer ce moment dans son instauration comme une pratique singulière de gouvernement. Alors on attendrait quelques précisions.

Il est clair que lorsque l'on approche un terme aussi connoté que celui de libéralisme, la tentation est grande d'en comprendre l'origine, les présupposés, l'usage et les niveaux d'acception. C'est d'ailleurs ainsi que dans nombre d'ouvrages et d'articles portant sur le libéralisme on procède. Soit 1° la liberté de conscience, 2° la liberté politique, 3° la liberté économique, le problème étant de savoir comment concilier ces trois libertés, celle de l'individu, celle d'un régime et celle de l'initiative. Le statut de cet équilibre depuis Locke demeure un problème majeur tant pour les philosophes que pour les économistes libéraux.

Or Foucault élude ces trois registres et ne s'appuie que de manière elliptique sur des figures de la tradition libérale, celles des fondateurs (Locke, Montesquieu, Adam Smith, Madison), celle de Tocqueville dont les représentants contemporains pourraient être l'ordo-libéralisme allemand et le néo-conservatisme américain, notamment W. Röpke et Kristol, celles des héritiers de l'utilitarisme de Bentham qui se prolongerait dans le libéralisme libertarien de Friedman et de Nozick.

Pour l'heure, on ne s'attardera pas plus avant sur les références mentionnées par Foucault et sur la réalité du programme qu'il se donne dans le cadre de ce séminaire de 1978-1979. Ces références sont multiples et zigzagantes puisqu'il mentionne le *Tableau des Physiocrates*, Locke, le libéralisme allemand des années 1948-1962, et le libéralisme américain de l'école de Chicago.

Par ailleurs, les avatars mêmes du terme et son usage ne sont pas commentés. Foucault coupe court à d'éventuelles recherches de ce type. Or, on le sait, le terme est officialisé en 1810 pour certains, 1812 pour d'autres, quand *los liberales* en Espagne s'instituent parti politique des *Cortes* et revendiquent comme modèle le parlementarisme anglais. Cependant qu'en France, Maine de Biran l'entend au sens de « doctrine favorable au développement des libertés ». C'est, semble-t-il, l'acception la plus courante mais qui n'est pas la plus fiable. Ce serait, pourrait-on dire, le substrat commun à toutes les tendances libérales et quelles que soient les modalités de la réalisation de cette liberté, quelle que soit aussi la hiérarchie des sphères dans lesquelles s'exerce cette liberté : individuelle, culturelle, politique et économique.

g. Un instrument critique de la réalité

Foucault s'attache cependant dans la dernière partie de sa présentation à souligner les raisons du « polymorphisme » du libéralisme.

« Le libéralisme constitue – et c'est là la raison et de son polymorphisme et de ses récurrences – un instrument critique de la réalité. (...) De sorte que l'on pourra trouver "du" libéralisme, sous des formes différentes mais simultanées, comme schéma régulateur de la pratique gouvernementale et comme thème d'opposition parfois radicale. La pensée politique anglaise, à la fin du XVIIIe siècle et dans la première moitié du XIXe, est fort caractéristique de ces usages multiples du libéralisme. Et plus particulièrement encore les évolutions ou les ambiguïtés de Bentham et des Benthamiens. »

Retenons du caractère historique et indiscutable de l'instrument critique ceci :
Au XIXe siècle, la sécularisation de la vie politique et sociale s'affirme contre la tutelle temporelle de l'Église. Le libéralisme revendique, quelles que soient ses mouvances, une indépendance vis-à-vis du religieux, il se cantonne à la sphère privée. Le corollaire de cette indépendance est la subsomption de la morale sous le

politique et l'économique. Il faut « prendre les hommes tels qu'ils sont » et nouer la société à partir des désirs réels des hommes. La solution libérale vise à se passer de la contrainte tout en faisant l'économie de la vertu (Locke), en lui substituant l'intérêt. Selon la fameuse formule de Leo Strauss : « l'économisme est devenu majeur ». La solution libérale passe non plus par l'élévation morale, mais d'abord par l'agencement des institutions propres à canaliser ou à combiner les passions dans un sens favorable à la paix civile et à la liberté individuelle. La « *pursuit of happiness* » de Jefferson, dans la Déclaration d'indépendance américaine, est une affaire privée, à chacun de définir son intérêt. La fin du politique n'est plus l'excellence humaine mais la préservation des droits de chacun[27]. Et, ces droits appartiennent de nature à tous les hommes (égaux en droit). Ce qui fait dire à certains commentateurs que le libéralisme est l'héritier direct du droit naturel. Ces droits fixent des bornes au pouvoir de l'État. Aussi le pouvoir est-il l'ennemi naturel des droits, il importe donc de le limiter. Sur ce point, Foucault ne dialogue pas avec Montesquieu.

« Pour que l'on ne puisse abuser du pouvoir, il faut – écrit Montesquieu dans *De l'Esprit des Lois* – que par la disposition des choses, le pouvoir arrête le pouvoir. » Foucault s'en serait-il tenu à la description de la « disposition des choses » et Montesquieu aux moyens par lesquels « le pouvoir arrête le pouvoir ?

Pour Foucault, le débat ne porte pas sur les moyens qui permettent un rapport de force favorable à la préservation de la liberté. Encore que, on le verra, on puisse se demander si ce qui est en jeu n'est pas de

---

27. je remercie certains lecteurs de m'avoir fait observer qu'en 1876, aux Etats-Unis, cette égalité souffrait des exceptions.

recouvrer une liberté qui est avant tout une liberté de mouvement, de concevoir la levée des limites de l'exercice de la liberté de l'individu. Quelles conditions limitent la liberté ? Quelles conditions la favorisent ? Au moment même où l'on privilégie les libertés individuelles et où on les étend, on crée des institutions de grande taille et des techniques qui contrecarrent symétriquement ces libertés pour faire entendre qu'on les assure. Et ce phénomène, loin d'être marginal, est le terreau de l'exercice de la liberté. En ce sens, Foucault reprend à son avantage, mais tout autrement, la distinction marxienne entre liberté formelle et liberté réelle. Il se ressaisit de cette distinction en rejetant le droit comme illusion de la pensée politique. Il n'y a pas de suprématie du droit, et Benjamin Constant n'aurait pas le droit de cité. « La constitution n'est pas la garantie de la liberté d'un peuple. » Le statut du droit est de fait disqualifié.

Encore une fois, l'optique adoptée par Foucault dans sa présentation de cours, tranche avec les différentes approches du libéralisme.

« Le libéralisme ne dérive pas plus, sans doute, d'une réflexion juridique que d'une analyse économique. Ce n'est pas l'idée d'une société politique fondée sur le lien contractuel qui lui a donné naissance ».

Néanmoins, il ne rend donc pas compte du statut et de l'importance de l'État de droit, le *Reechtstaat*, ainsi que du *rule of law* parce que la participation des gouvernés à l'élaboration de la loi, dans un système parlementaire constitue le système le plus efficace d'économie gouvernementale.

« Cependant, tout comme l'économie politique utilisée d'abord comme critère de la gouvernementalité excessive, cette économie politique n'était pas par nature libérale (…) Elle a même, ajoute-t-il, induit des attitudes antilibérales (que ce soit dans la *Nationaloekonomie* du XIXe siècle et dans les économies planificatrices du XXe siècle), de même la démocratie et l'État de droit n'ont pas été forcément libéraux, ni le libéralisme forcément démocratique ou attaché aux formes du droit. »

D'une certaine manière, pour Foucault, le débat n'est pas à cet endroit. Il se situe dans une forme de réflexion critique sur la pratique gouvernementale.

Cette critique ne travaille pas les catégories généralement admises, le statut de la liberté n'apparaît pas premier, l'alliance supposée entre un libéralisme politique et un libéralisme économique, c'est-à-dire entre un régime démocratique assurant les droits individuels et la liberté de chacun, et une société autorisant et favorisant l'initiative individuelle dans le domaine économique, n'est pas posée comme telle.

Mais l'approche la plus novatrice est celle qui institue l'effacement des frontières entre le politique et l'économique. La communauté de règle (règle interne) fait perdre toute distinction entre ce qu'est un gouvernement de type politique et un gouvernement de type économique.

Reste à déterminer comment Foucault à partir de ce constat situe sa critique dans les théories philosophiques évaluatrices du libéralisme ; éluder deux questions ne revient-il pas à poser de nombreuses équivoques ?

Doit-on renoncer à interroger les liens supposés indissolubles entre liberté politique et liberté économique, en soutenant que dès son origine le libéralisme s'inscrit dans une confluence évidente du politique avec l'économique ?

Comment penser quelque chose du libéralisme sans postuler un concept de liberté ?

Concernant la première question, nous mettrons en parallèle la pensée de Foucault et le libéralisme politique de Rawls.

Concernant le second point, nous nous appuierons sur *La Constitution de la liberté* de Hayek.

h. La règle interne du libéralisme : description ou validation ?

En conclusion, si Foucault propose une définition atypique du libéralisme reposant sur le caractère transfrontalier de l'activité de gouverner, il prend dans le même temps acte des différentes tendances du libéralisme, notamment de deux traditions.

L'une affirme des liens indissolubles et complémentaires entre la sphère politique (garantie des libertés publiques) et l'économie de marché :

« Le libéralisme aime se définir comme affirmation de la liberté négative, au sens de non-empêchement des activités de chacun dans la limite des règles de juste conduite individuelle sanctionnées par l'État de droit. Il subordonne à cette liberté fondamentale la liberté positive par laquelle les citoyens donnent à la puissance publique qui les représente la fonction d'agir au nom de la volonté générale[28]. »

L'autre doctrine prétend que l'aune de la liberté est l'expression la plus ample de la concurrence, particulièrement économique.

D'une part, Foucault reprend le premier aspect en soulignant que le coût de cette rationalisation est « entendu au sens politique non moins qu'économique »,

---

28. André Tosel, *Démocratie et libéralismes. Pour une philosophie pratique de l'action*, éd. Kimé, Paris, 1995.

d'autre part, il est clair que la rationalisation de l'exercice du gouvernement est assujettie « à la règle interne de l'économie maximale », par conséquent c'est l'économique qui est premier.

Cependant, lorsque Foucault crée un concept de gouvernement commun à la sphère économique et politique, on peut se demander de quelle nature relève sa description : critique ou avalisante ?

En s'appuyant sur *Libéralisme politique* de Rawls[29], il faudrait dire qu'en réfutant la place de l'État de droit structurant la philosophie politique, Foucault se dispense d'entrevoir l'avenir d'hypothèses comme celles de Rawls. Il se dispense aussi de préciser le positionnement théorique de son point de vue critique. En effet, s'il est vrai qu'il dénonce le caractère autoréférentiel du marché, de cette autoréférentialité n'est pas tiré le fait qu'elle s'oppose à terme au fonctionnement par exemple démocratique.

« Cet État n'a qu'une valeur instrumentale, sa fonction est de promouvoir les activités spirituelles et matérielles accomplies par les individus hors l'État[30]. »

Nous voudrions montrer par comparaison ce que Foucault écarte. Il élimine toute résolution possible d'« autoréférentialité » à la faveur d'un nouveau contrat social se fondant sur une nouvelle distribution des libertés publiques parce qu'il n'évoque pas l'idée d'une liberté publique. Ce faisant, la grille de lecture est brouillée tant du point du fonctionnement du libéralisme que de ses nouveaux principes comme ceux de Rawls.

L'alliance entre liberté politique et loi de marché

---

29. John Rawls, *Libéralisme politique*, trad Catherine Audard, PUF, 1995.
30. Hegel, *Principes de la Philosophie du droit*, Vrin.

conditionne l'analyse d'un certain nombre de concepts comme le régime politique, la question du droit et de l'État de droit, le rôle de l'État. Ces concepts sont aujourd'hui repensés sous une autre forme par des théoriciens anglo-américains comme Rawls, tenant d'un « libéralisme éthico-politique » pour reprendre la formulation d'André Tosel. Il s'agit en réalité, de renouveler le contrat social par une théorie de la justice qui serait une théorie de l'équité. Celle-ci, dans *Libéralisme politique*, considère comme premières les valeurs du libéralisme, fondements du libéralisme politique. C'est, pourrait-on dire, une démarche strictement inverse de celle de Foucault. La problématique et les antinomies nouvellement engendrées sont mises en évidence comme autant d'apories probables dans lesquelles l'alliance des deux composantes du libéralisme est actuellement engagée.

Dans la deuxième partie de *Libéralisme politique,* trois idées principales nous sont soumises : le consensus, la priorité du juste et les idées du bien, la raison publique.

Renouveler le contrat social par le consensus suppose pour Rawls non pas de définir le terme de libéralisme politique mais de poser une première question fondamentale à ses yeux. Quelle est la conception de la justice la plus à même de définir les termes équitables de la coopération sociale entre des citoyens considérés comme des membres libres et égaux de la société ?

Le consensus suppose 1° qu'une théorie de la justice soit énoncée, 2° que nous raisonnions dans un régime démocratique, 3° que le pluralisme des idées et leur expression soient assurés.

« La société démocratique bien ordonnée par la théorie de la justice comme équité peut établir et préserver son unité et sa stabilité, étant donné le pluralisme raisonnable qui la caractérise. Dans une telle société, une seule doctrine compréhensive et raisonnable ne peut assurer la base de l'unité sociale ni fournir le contenu de la raison publique pour les questions de politique fondamentales. Ainsi, si nous voulons comprendre comment une société "bien ordonnée" peut être unifiée, nous devons introduire une autre idée de base du libéralisme politique pour accompagner l'idée d'une conception politique de la justice, à savoir l'idée d'un consensus entre doctrines compréhensives raisonnables. »

L'arrière-plan du consensus est « un trait permanent de la culture publique », à savoir que les citoyens sont libres et égaux ainsi que rationnels et raisonnables, ajoute Rawls. D'autre part, le principe libéral de légitimité se place dans l'adhésion à la Constitution.

« Notre exercice du pouvoir politique n'est complètement correct que lorsqu'il s'accorde avec une Constitution dont on peut raisonnablement espérer que tous les citoyens libres et égaux souscriront à ses exigences essentielles... tel est le principe libéral de légitimité. »

En fait, pour Rawls, de bonnes valeurs et une justice fondamentale doivent être mises en œuvre en ne faisant appel qu'à des valeurs politiques. En défendant de telles convictions, on dira qu'il existe une relation entre valeurs politiques et non politiques. Autrement dit, on ne peut les outrepasser aisément. Elles sont implicites. Ces valeurs gouvernent le cadre de la vie sociale, « le fondement même de notre existence », et elles précisent les termes fondamentaux de la coopération politique et sociale. Dans la théorie de la justice comme équité, certaines de ces valeurs sont exprimées par les principes de justice qui s'appliquent à la structure de base avec, parmi elles, les valeurs de l'égalité de la liberté politique et civile, l'égalité des chances, les valeurs de la réciprocité économique et les bases sociales du respect mutuel entre les citoyens. D'autres valeurs politiques importantes – celles de la raison publique – s'expriment dans les directives pour les enquêtes publiques, dans les mesures prises pour garantir que ces enquêtes sont libres, publiques, aussi bien informées que raisonnables. Toutes ces valeurs donnent une expression à l'idéal politique libéral.

De là, il découle que le libéralisme politique présente de manière indépendante ses valeurs comme relevant d'un domaine particulier. Le libre arbitre des citoyens a deux versants et c'est leur liberté de conscience qui leur permet de décider comment ils envisagent la relation entre ces valeurs du politique et les autres valeurs relevant de leur doctrine compréhensive personnelle. Car, explique Rawls, nous supposons toujours que les citoyens ont deux doctrines, l'une compréhensive, l'autre politique, et que leur position globale peut être divisée en deux parties, correctement reliées.

Cela étant dit, cet équilibre entre les deux doctrines ne semble pas si évident à pratiquer que Rawls le sous-entend dans un premier temps, et il apporte une deuxième condition à la possibilité du libéralisme politique.

« L'histoire nous donne de nombreux exemples de doctrines compréhensives et non déraisonnables. Ce fait rend un consensus possible, limitant le conflit entre les valeurs politiques et les autres valeurs. »

Un obstacle peut perturber la possibilité du

consensus, soit les différences entre les conceptions libérales. Mais

« plus les différences diminueront entre conceptions libérales fondées sur les idées politiques d'une culture publique démocratique, plus les intérêts sous-jacents – les intérêts qui les soutiennent dans la structure de base stable qu'elles gouvernent – seront compatibles entre eux et plus étroite sera la gamme des conceptions libérales définissant le lieu de convergence du consensus[31]. »

Il reste que ce libéralisme démocratique stipule sans cesse un être à la fois rationnel et raisonnable. Foucault, lui, pose la rationalité de la chose publique. Dans la *Leçon II* « Les facultés des citoyens et leur représentation », § 1 : Le raisonnable et le rationnel, on peut lire :

« Les agents rationnels et raisonnables constituent normalement les unités de responsabilité dans la vie politique et sociale. »

Cependant, dans la théorie de la justice comme équité, le raisonnable et le rationnel sont traités comme deux idées fondamentales distinctes et indépendantes. Elles sont distinctes en ce sens qu'il n'est pas question de les dériver l'une de l'autre.

Il s'agit de lever les équivoques de ce libéralisme démocratique, éthico-politique. Le renouvellement du contrat social via une théorie de la justice est en fait un aménagement pour freiner les mécanismes du marché, et les effets d'une concurrence sauvage. Et l'on peut s'inquiéter de l'issue de ce contrat social, comme l'objecte l'auteur de *Démocraties et Libéralisme*[32] :

« La tradition du contrat social a toujours entendu

---

31. John Rawls, ibidem, 209.
32. André Tosel, ibidem.

limiter la liberté négative par la liberté politique et soumettre au jugement de la chose publique la logique du marché et de la propriété privée. Un début de solution théorique à ces impasses consisterait à réveiller la tradition du contrat social. » [...] « Le contractualisme libéral demeure subalterne à la réalité empirique à laquelle il se soumet au moment où il croit la dépasser. »

Que peut être la pratique de ce contrat sinon la négociation permanente à des fins redistributives, c'est-à-dire un compromis entre des intérêts s'affrontant sur le marché ?

« Autant dire que ce contrat laisse dans l'irreprésentation et l'irreprésentable les intérêts incapables d'organisation politique, les intérêts des divers exclus (chômeurs de longue durée, SDF, immigrés, jeunes désespérés des banlieues). » [...] « Le marché est donc toujours politique en ce qu'il ne se borne pas à opérer la rassurante mise en relation contractuelle de sujets qualifiés par des intérêts économiques opposés et complémentaires. » [...] « C'est un privilège de pouvoir se constituer comme "partenaire social" » souligne André Tosel.

SECTION III

DE LA SUBJECTIVATION
COMME CONSTITUTION DE LA LIBERTE ?

1. *Libéralisme et histoire de la sexualité : hypothèses.*

« Il y a cinq ans », conclut Fontana, interlocuteur privilégié de Foucault, « on s'est mis à lire, dans votre séminaire au Collège de France, Hayek et Von Mises. Nous nous sommes alors dit : A travers une réflexion sur le libéralisme, Foucault va nous donner un livre sur la politique. Le libéralisme semblait aussi un détour pour retrouver l'individu, au-delà des mécanismes de pouvoir. On connaît votre contentieux avec le sujet phénoménologique. A cette époque-là, on commençait à parler d'un sujet de pratiques, et la lecture du libéralisme s'était faite un peu autour de cela. Ce n'est un mystère pour personne que l'on s'est dit plusieurs fois : il n'y a pas de sujet dans l'œuvre de Foucault. Les sujets sont toujours assujettis, ils sont le point d'application de techniques, de disciplines normatives, mais ils ne sont jamais des sujets souverains. »

A cela, Foucault répond, produisant de la sorte une forme de déception.

« En premier lieu, je pense effectivement qu'il n'y a pas un sujet souverain, fondateur, une forme universelle de sujet que l'on pourrait retrouver partout. Je suis très sceptique, et très hostile envers cette conception du sujet. Je pense au contraire que le sujet se constitue à travers des pratiques d'assujettissement, ou d'une façon plus autonome, à travers des pratiques de libération, de liberté, comme dans l'Antiquité, à partir d'un certain nombre de règles, de conventions. »

Ces règles et ces conventions, ces techniques, nul doute qu'elles sont à trouver dans l'histoire de la sexualité. Mais alors, quelle fonction joue l'histoire de la sexualité, ce soudain retour en arrière (les considérations sur les pratiques de la Grèce ancienne) supposant des pistes de recherche, très indirectement reliées à la question sur le libéralisme, on pense par exemple au travail effectué sur le « pouvoir pastoral » ?

Pourquoi n'avoir pas poursuivi de manière aussi bien historique que philosophique les hypothèses sur la biopolitique qui étaient loin d'avoir été épuisées ?

En fait, la biopolitique est parallèle à une pensée de l'historicité des formes de l'expérience[1] et particulièrement de l'« éthique du souci de soi comme pratique de la liberté[2] » .

Le souci de soi a été, dans le monde gréco-romain, le mode selon lequel la liberté individuelle, la liberté civique, jusqu'à un certain point se sont réfléchies comme éthique.

Pour Foucault, dans nos sociétés, au contraire, le souci de soi est devenu quelque chose d'un peu suspect, une forme d'amour de soi, d'égoïsme ou d'intérêt individuel en contradiction avec l'intérêt qu'il faut porter aux autres ou avec le sacrifice de soi qui est nécessaire. La liberté individuelle était pour les Grecs quelque chose

---

1. IV, 579, Préface à *l'Histoire de la sexualité*. Quant au terme d'expérience, il est défini un peu plus bas.

2. Dernier cours du Collège de France 1981-1982 : herméneutique du sujet, le souci de soi est compris non pas dans le sens de la morale de la renonciation, mais de celui de l'exercice de soi sur soi. Notre travail est antérieur à la publication de *Une herméneutique du sujet*, Seuil Gallimard, 2000.

de très important – contrairement au lieu commun, plus ou moins dérivé de Hegel, selon lequel la liberté de l'individu n'aurait eu aucune importance devant la belle totalité de la cité : ne pas être esclave était un thème absolument fondamental, le souci de la liberté a été un problème essentiel, permanent, pendant huit grands siècles de la culture ancienne. Parce que la liberté signifie, pour les Grecs, le non-esclavage, le problème est déjà tout entier politique. Il est politique dans la mesure où le non-esclavage à l'égard des autres est une condition : un esclave n'a pas d'éthique. Et puis, la liberté produit un modèle politique, dans la mesure où être libre signifie ne pas être esclave de soi-même et de ses appétits, ce qui implique que l'on établisse à soi-même un certain rapport de domination, de maîtrise, qu'on appelait *archê* – pouvoir, commandement[3] en grec. Le latin est plus précis puisqu'il distingue *potestas* – le pouvoir – de l'*imperium* – le commandement.

Dès lors, si le terme de sexualité n'apparaît qu'au XIXe siècle, au moment de l'apogée du libéralisme économique en Europe, c'est seulement à la lumière de textes anciens que Foucault parvient à réhabiliter l'histoire d'une liberté individuelle recouverte – semble-t-il – par des siècles d'oubli de souci de soi ! Parce que

---

3. On notera que « le souci de soi » n'est qu'une partie de cette éthique de la liberté. *Confer* l'*Usage des plaisirs et techniques de soi* où il est dit que l'on doit considérer trois moments dans l'exposition de l'usage des plaisirs : 1° la manière dont l'activité sexuelle a été problématisée par les philosophes et les médecins dans la culture grecque classique au IVe siècle avant Jésus-Christ ; 2° « le souci de soi » comme moment de la problématisation de ces manières dans les textes grecs et latins des deux premiers siècles avant Jésus-Christ ; 3° « les aveux de la chair », dernière partie, porte sur le traitement de la formation de la doctrine pastorale de la chair.

c'est dans l'histoire de la sexualité, que l'on peut voir comment dans les sociétés occidentales modernes, une expérience s'était constituée, telle que les individus ont à se reconnaître comme sujets d'une sexualité qui ouvre sur des domaines de connaissance très divers, et qui expérimente des règles dont la force de coercition est très variable. On entend ici par expérience, « la corrélation, dans une culture, entre un domaine de savoirs, des types de normativité et des formes de subjectivité. » Là, l'histoire de la sexualité analyse les pratiques par lesquelles les individus ont été amenés à porter attention à eux-mêmes, à se déchiffrer, à se reconnaître et à s'avouer comme sujets de désir faisant jouer entre eux-mêmes et eux-mêmes un certain rapport qui leur permet de découvrir, dans le désir, la vérité de leur être. Ceci représente un problème éthique, c'est-à-dire celui d'une pratique de la liberté. Penser l'ordre de la sexualité revient à dire qu'en libérant son désir, on saura comment se conduire éthiquement dans les rapports de plaisir avec les autres. Cependant, et quoi qu'il en soit de l'intérêt voire de la pertinence de la question, force est de constater que cette focalisation sur la mixité de l'intime et du public, à la faveur de l'histoire de la sexualité, implique une réduction du champ pratique et politique.

Si la liberté est la façon dont l'individu établit son rapport à cette règle et se reconnaît comme lié à l'obligation de la mettre en œuvre[4], il y a, d'un côté désasujettissement et de l'autre, affirmation d'un sujet libre déterminant son individualité.

Notons que le désasujettissement ne signifie pas *stricto sensu* une forme de libération d'un sujet. Foucault est très circonspect à l'endroit d'une libération. Il entretient avec la question de la libération une certaine

---

[4]. In « Usages des plaisirs et techniques de soi », IV, 556.

prudence, car la problématique soutient une hypothèse simple : « elle suppose que l'on fait sauter les verrous, et que l'homme se réconcilie avec lui-même, la libération ne suffit pas à définir des pratiques de la liberté[5] » ; alors qu'il n'est pas douteux que la liberté des sujets se construit par en s'élaborant sujets, départis progressivement de techniques dominatrices, afin de se forger des techniques adéquates.

Ainsi, cette liberté loin d'être postulée est déduite d'une série de processus dont la subjectivation est la majeure dans une chaîne signifiante qui peut se dessiner comme suit : sujets assujettis et sujets (pratiques contradictoires des effets négatifs et positifs du pouvoir) puis désasujettissement (histoire de la sexualité). Cette phase a pour résultat la subjectivation, et en tant que transition elle permet d'élaborer des subjectivités libres, c'est-à-dire de constituer des individualités comme fiction du libéralisme.

Quant à l'individu, il est identifié à plusieurs reprises à « un atome social » et ne se distingue pas du sujet, en tant que support des médiations et des techniques produisant lui-même des médiations et des techniques.

---

5. IV, 710.

2. *Définitions sommaires : subjectivation, sujet, individu, individualité*

En 1982, Foucault déclare : « On a souvent dit ou écrit que j'analysais les phénomènes de pouvoir. [...] J'ai plutôt essayé de produire une histoire des différents modes de subjectivation [...] dans notre culture. » Dans cette optique, il a traité des trois modes d'objectivation qui transforment les êtres humains en sujets.

La première partie du travail porte sur les modes d'investigation qui cherchent à accéder au statut de science : 1° par l'objectivation du sujet parlant dans la grammaire, et la linguistique ; 2° du sujet productif et travaillant, en économie ; 3° du sujet vivant (le fait de vivre, biologie et histoire naturelle).

La seconde partie traite du sujet dans ses pratiques divisantes, d'un côté le criminel et, de l'autre, le gentil garçon. Enfin, il pense avoir cherché la manière dont les êtres humains se transforment en sujets[6].

A. Qu'est-ce que la « subjectivation » ?

En préliminaire, on dira que la « subjectivation » est la constitution du sujet comme objet de lui-même, c'est-à-dire sujet légitime de tel ou tel type de connaissance comprise à l'intersection d'une pratique. C'est dans un article du *Dictionnaire des philosophes*[7],

---

6. IV, 227, *Le Sujet et le Pouvoir,* in Dreyfus et Rabinow, *Michel Foucault : Beyond structuralism and hermeneutics,* Chicago, The University Chicago Press, 1982.
7. IV, 942 à 944.

édité par Denis Huisman et publié en 1984, que l'on trouve l'acception la plus claire de la « subjectivation ». Cet article sur Foucault, semblable à une rubrique nécrologique, a été rédigé de sa main. On reconnaîtra derrière les initiales de Maurice Florence celles de l'auteur lui-même.

Maurice Florence s'emploie à rendre compte génériquement du sujet. Il y avait deux significations : 1° sujet soumis à l'autre par le contrôle et la dépendance au sens latin de *subjectum* (jeté dessous). C'est un sujet qui se dissocie de celui qui conçoit la loi[8] ; 2° dans la subjectivation ce qui est à comprendre est: ce qui doit être sujet, à quelle condition il est soumis, quel statut il doit avoir, quelle position il doit occuper dans le réel ou dans l'imaginaire, pour devenir sujet légitime de tel ou tel type de connaissance ; bref, son mode de « subjectivation » n'est pas le même selon que la connaissance est une forme de l'exégèse d'un texte sacré, une observation naturelle ou une analyse du comportement mental. Mais, la question est aussi et en même temps, de savoir à quelles conditions une chose peut devenir un objet de connaissance, comment elle a pu être problématisée comme objet à connaître. Il s'agit donc de définir son mode d'objectivation, qui n'est pas le même selon le type de savoir dont il s'agit.

Cette objectivation et cette subjectivation sont indépendantes l'une de l'autre ; c'est de leur développement mutuel et de leur lien réciproque que naît ce que l'on pourrait appeler les « jeux de vérité ». Ainsi on pourra faire l'histoire des « véridictions » à l'intérieur de l'histoire de la « subjectivation ».

Cette analyse, Michel Foucault s'y est essayé en la

---

8. Spinoza, *Traité politique*, chapitre III, § 1, p. 25 ; § 8, p. 28, et Rousseau, *Du contrat social,* chapitre VI.

menant de deux manières, affirme t-il. A propos de l'apparition et de l'insertion de la question du sujet parlant – travaillant – vivant dans les domaines des sciences dites humaines en référence à la pratique des sciences empiriques et de leur discours propre aux XVIIe et XVIIIe siècles (voir *Les Mots et les Choses*). Il a aussi tenté d'analyser la constitution du sujet tel qu'il peut apparaître dans le partage du normatif et le « devenir objet de connaissance », à titre de fou, de malade ou de délinquant, à travers des pratiques comme celles de la psychiatrie, de la médecine et de la coercition. En dernière main, il a entrepris d'étudier la constitution du sujet comme objet de lui-même. Il s'agit de l'histoire de la subjectivité, « si l'on entend par ce mot, la manière dont le sujet fait l'expérience de lui-même dans un rapport à soi, par exemple dans la sexualité ». Outre la sexualité, on donnera un exemple de « désubjectivation » : la pratique des *hupomnêmata*[9]. Ces derniers pouvaient être des livres de compte, des registres publics, des carnets individuels servant d'aide-mémoire. Dans ce cas, « soi-même s'élaborait comme un sujet d'action rationnelle par l'appropriation, l'unification et la subjectivation d'un déjà-dit fragmentaire et choisi ».

On l'aura compris, cette « désubjectivation » est à rechercher dans les pratiques des sujets, et non pas dans un sujet abstrait. C'est un leitmotiv foucaldien qui varie néanmoins.

Dans les années 70, une alternative était proposée : « Plutôt que de demander à des sujets idéaux ce qu'ils ont pu céder d'eux-mêmes ou de leurs pouvoirs pour se

---

9. V, 307, 419, 422, 430, in *L'Écriture de soi, Corps écrit*, n°5 : « L'Autoportrait », février 1983.

laisser assujettir, il faut chercher comment les relations d'assujettissement peuvent fabriquer des sujets[10]. »

Dans les années 80, l'interrogation est d'une autre nature. « Comment le sujet a-t-il établi à différents moments et dans des contextes institutionnels comme un objet de connaissance possible, souhaitable ou même indispensable ? Ni le recours à l'expérience originaire, ni l'étude des théories philosophiques de l'âme, des passions ou du corps ne peuvent servir d'axe. [...] Le fil directeur, ce sont les techniques de soi[11]. »

Aussi, l'angle sous lequel s'observent les pratiques a-t-il changé. En effet, pour analyser l'histoire du sujet dans la civilisation occidentale, on doit tenir compte maintenant non seulement des techniques de domination, mais aussi des techniques de soi. « J'ai trop insisté sur les techniques de domination, ce n'est qu'un aspect de l'art de gouverner dans nos sociétés. Je m'intéresse maintenant aux techniques de soi[12]. » On l'a déjà noté s'agissant de la question du pouvoir, l'élargissement de la domination à la positivité du pouvoir était déjà présente à la fin des années 70. Les pratiques vont donc être circonscrites comme manière de se gouverner et de gouverner. « Comment les hommes se gouvernent-ils eux-mêmes, et les autres, à travers la production de vérité (je le répète encore par la production de vérités, pas la production d'énoncés vrais mais l'aménagement de domaines où la pratique du vrai et du faux peut être à la fois réglée et pertinente) ? Telle est la question[13]. »

Rappelons la définition donnée du « gouverne-

---

10. III, 124.
11. IV, 213, « Subjectivité et Vérité », *Annuaire du Collège de France,* Histoire des systèmes de pensée, année 1980-1981.
12. IV, 171, *Sexualité et Solitude,* London Review Books, volume 3, n° 9, 21 mai-15 juin 1981.
13. III, 26-27.

ment ». Gouverner, « c'est structurer le champ d'actions éventuelles des autres et structurer son champ d'action ». Ainsi, penser les pratiques sociales n'est plus examiner seulement le contrôle, la surveillance, comme on écrirait une psycho-pathologie du contrôle quotidien, dans une apogée de la surveillance allant jusqu'en 1984, (date de la mort du philosophe, date aussi de la projection orwellienne d'un Big Brother).

« La question importante à traiter est de savoir si le système de contraintes à l'intérieur duquel une société fonctionne laisse les individus libres de transformer le système. En effet, un système de contraintes ne devient intolérable que lorsque les individus qui sont soumis à ce système est intangible, ou à le considérer comme un impératif moral et religieux[14]. »

Quand on définit l'exercice du pouvoir comme un mode d'action sur les actions des autres, quand on le caractérise par « le gouvernement » des hommes les uns sur les autres – au sens le plus étendu de ce mot –, on y inclut un élément important : celui de la liberté. « Le pouvoir ne s'exerce que sur des « sujets libres » et en tant qu'ils sont libres – entendons par là des sujets individuels ou collectifs qui ont devant eux un champ de possibilités où plusieurs conduites, plusieurs réactions et divers modes de comportement peuvent prendre place. Là où les déterminations sont saturées, il n'y a pas de relation de pouvoir : l'esclavage n'est pas un rapport de pouvoir. Lorsque l'homme est aux fers, il s'agit alors d'un rapport physique de contrainte ; lorsqu'il peut se déplacer et à la limite s'échapper, il n'y a pas de face-à-face de pouvoir et de liberté, comme si entre eux un rapport d'exclusion existait (partout où le pouvoir s'exerce, la liberté

---

14. V, 327, *Choix sexuel, acte sexuel*, entretien avec O'Higgins, *Salmagundi*, n° 58-59.

disparaît). C'est un jeu beaucoup plus complexe : dans ce jeu, la liberté va bien apparaître comme condition d'existence du pouvoir[15]. »

Encore une fois, le pouvoir n'est pas une substance. Il n'est qu'un type particulier de relations entre les individus, relations qui peuvent être diluées mais qui ne sont pas situées institutionnellement, ou juridiquement définies. Or si ces relations sont spécifiques, ce pouvoir est très abstrait. La seule chose connue est le trait distinctif du pouvoir : certains hommes peuvent plus ou moins entièrement déterminer la conduite d'autres hommes.

« Mais si on pouvait amener un individu à parler, quand son ultime recours aurait pu être de tenir sa langue, préférant la mort, c'est qu'on l'a poussé à se compter. Si un individu peut rester libre, pour illimitée que puisse être sa liberté, le pouvoir peut l'assujettir au gouvernement[16]. »

Autrement dit, les moyens de coercition politiques (droit, loi, etc.) peuvent avoir raison de notre manière d'exercer le gouvernement de soi, de notre liberté individuelle.

B. Pratiques et techniques

Il est clair pour Foucault que, la désubjectivation est rapportée à des pratiques et non à la pratique. Et ces pratiques sont saisies à la faveur de techniques. Concernant le rapport entre pratique et pratiques, il

---

15. IV 160.
16. IV,134, « Omnes et singulatim. Vers une critique de la raison politique. »

devrait être l'objet d'un commentaire à part entière. Disons simplement que la problématique foucaldienne des pratiques assume et prolonge sa filiation marxienne et althussérienne. La pratique comme activité de production matérielle n'est pas seulement celle des conditions d'existence mais aussi la production de soi. Althusser a généralisé à toutes les formes de la pratique la structure formelle du mode de production. La pratique ne s'identifie pas à la seule activité productive mais aussi à des rapports de pouvoir et de lutte. Bien plus, sur ce terrain, « les hommes sont acteurs et auteurs de leur drame » et s'organisent mi-consciemment, mi-inconsciemment, en un système de rapports normatifs, toujours médiatisés symboliquement (traditions culturelles, milieux de communication). On a là une sphère pratique qui est celle de l'action consciente, réfléchie, intégrant les exigences de signification et reformulant le contenu des normes. Cette production engendre une sphère éthico-politique, et l'on peut se demander dans quelle mesure Foucault avec son travail sur les techniques (de soi, et les techniques politiques) n'en vient pas à interroger la formalisation de la technique en mettant à l'écart la résolution d'Habermas qui cherche à réaliser une universalité raisonnable, éliminant toute violence, rétablissant un espace public de communication entre individus.

Puisque les techniques rendent compte des pratiques, demandons-nous ce que Foucault entend par technique. Jamais la notion n'est stabilisée, non plus la distinction entre technique et technologie.

Mise en œuvre d'une rationalité (quel que soit son domaine dans les pratiques d'un sujet, dans les pratiques collectives), exercice d'un savoir, d'une connaissance impliquant des applications et des effets que ceux-ci fabriquent à partir d'une subjectivité ou qu'ils reconstituent à partir de nouvelles pratiques engendrant, par boule de neige, des effets locaux ou structurels... L'ensemble de ces faits peut être considéré comme autant de techniques. Celles-ci mettent en branle des manières de faire, des règles, des procédures, des examens qui se différencient suivant les domaines de leur exercice, et dont il faut faire l'inventaire afin de saisir et d'analyser le fonctionnement concret et réel du corps politique dans ses mécanismes.

On distinguera les technologies politiques et les techniques de soi.

Les techniques de soi sont les procédures prescrites aux individus pour fixer leur identité, la maintenir ou la transformer en fonction de fins, et cela grâce à des rapports de maîtrise de soi sur soi ou de connaissance de soi par soi. C'est un « comment se gouverner ». En exerçant des actions où l'on est soi même l'objectif de ces actions, le domaine où elles s'appliquent, l'instrument auquel elles ont recours, est le sujet qui agit[17].

Pour l'heure, nous nous en tiendrons aux premières technologies politiques, quand bien même les secondes ne peuvent être isolées dans la sphère, restreinte, de l'intimité. Les deux registres interfèrent, comme on le verra plus loin.

---

17. Voir IV, 55-558, « Usage des plaisirs et Techniques de soi », *Le Débat*, novembre 1983.

C. Pratiques et technologies politiques : retour sur un exemple, la biopolitique

Le champ politique est conçu à partir des techniques qu'il est censé mettre en œuvre ; il est à prendre comme une machine de guerre contre le droit[18]. Cette bataille est récurrente dans *Dits et Écrits* et participe d'une critique systématique de l'État de droit comme symbole du point aveugle d'une philosophie politique, à la fois créatrice du concept d'État de droit et médiatrice dans les faits de la stabilité de cet État.

L'approche technique est par conséquent une approche stratégique contrecarrant un point de vue juridique du politique, quand bien même le droit puisse être considéré comme une technique[19].

Nous retraduisons ici une interrogation et une affirmation, l'une et l'autre structurantes du rejet foucaldien.

« Comment se fait-il que notre société ait conçu le pouvoir d'une manière aussi restrictive, aussi négative ? Nous pouvons dire que cela est dû à Kant, à l'idée selon laquelle, en dernière instance, la loi morale, le "tu ne dois pas / tu dois" est au fond la matrice de toute la régulation de la conduite humaine. » Mais cette explication de l'influence de Kant est rudimentaire, de l'aveu de Foucault :

« Le schéma des juristes, que ce soit celui de Grotius, de Pufendorf ou celui de Rousseau, consiste à dire : au début, il n'y avait pas de société, et ensuite est

---

18. IV, 182, *Les Mailles du pouvoir (As Malhas do poder)*, conférence prononcée à l'université de Bahia, 1976.
19. Perelman

apparue la société, à partir du moment où est apparu un point central de la souveraineté qui a organisé le corps social et qui a permis ensuite toute une série de pouvoirs locaux et régionaux ; Marx, implicitement, ne reconnaît pas ce schéma. Il montre au contraire comment à partir de l'existence initiale et primitive de ces petites régions de pouvoir – comme la propriété, l'esclavage, l'atelier et aussi l'armée – ont pu se former, petit à petit, des grands appareils d'État. [...] Il faut donc envisager le pouvoir d'un point de vue technologique et non pas juridique. [...] Et il y a d'autres inventions techniques que la machine à vapeur, aussi importantes, notamment la technologie politique et particulièrement tout au long des XVIIe et XVIIIe siècles. Les techniques industrielles sont à saisir tout comme les techniques politiques. Deux types de techniques sont considérés : les disciplines qui visent les individus (individualisation du pouvoir) jusque dans leur corps – armée, éducation, etc. – et les techniques qui visent les populations[20]. »

Au XVIIIe siècle, la relation de pouvoir avec le sujet, ou mieux avec l'individu, n'est pas simplement une forme de sujétion (souverains céleste / terrestre, suzerains / vassaux) qui permet à l'instance souveraine de prélever sur le sujet des biens, des richesses. Le pouvoir s'exerce sur les individus en tant qu'ils constituent une espèce d'identité biologique : une population produit des richesses, des biens et d'autres individus. D'où l'intérêt qui ira croissant pour l'habitat, l'urbanisation, l'hygiène publique, la gestion de la démographie passant aussi par le traitement de la natalité. Le sexe s'immisce entre les disciplines individuelles du corps et les régulations de la population, médiation entre le régime des disciplines (« l'anatomo-politique ») et la

---

20. IV, 192 et 193, Ibidem.

biopolitique.

A la fin du XVIIIe siècle, c'est-à-dire au moment qui nous préoccupe, paraît le premier volume d'un ouvrage de l'Allemand J.-P. Frank sous le titre *System einer vollständigen Medicinischen Polzey.* Lorsque le dernier volume sort des presses, en 1790, la Révolution française a déjà commencé. Pourquoi rapprocher un événement aussi célèbre que la Révolution française de cet obscur ouvrage ? Parce qu'il est le premier grand programme systématique de santé publique pour l'État moderne (...), répond Foucault. A travers ce livre, le souci de la vie individuelle de l'ensemble des populations devient un devoir pour l'État. La coexistence, au sein des structures politiques, de machines de destruction[21] et d'institutions dévouées à la protection de la vie individuelle est volontaire. C'est l'une des antinomies centrales de notre raison politique[22].

Sur le fond, la manière dont nous constituons notre identité par certaines techniques éthiques de soi, de l'Antiquité à nos jours, via des technologies politiques, n'est pas très différente.

---

21. On peut s'étonner de l'affirmation de Foucault, car ce sont les guerres napoléoniennes ininterrompues pendant dix-huit ans qui ont causé d'énormes destructions.

22. IV, 815, *La Technologie politique des individus,* Université du Vermont, octobre 1982, publié en 1988, *Technologies of the Self,* Amherst, The University of Massachusetts.

3. La raison d'État est une technique qui s'adresse aux individus

a) La raison d'État ne renvoie ni à la sagesse ni à Dieu ou aux stratégies du Prince. Elle se rapporte à l'État, à sa nature, à sa rationalité propre qui est de se renforcer lui-même ; *b)* une relation inédite s'établit entre la politique comme pratique et la politique comme savoir. Il y a un savoir politique spécifique. Pour saint Thomas, le souverain doit se montrer vertueux. En revanche, avec la raison d'État, le chef s'appuie sur des compétences politiques spécifiques, et l'État devient une chose qui existe pour soi. Le savoir politique traite non pas des droits des peuples, ni des lois humaines ou divines mais de la nature de l'État. L'art de gouverner caractéristique de la raison d'État est intimement lié au développement de l'arithmétique politique, c'est-à-dire en fin de compte à la statistique.

Cette relation inédite se double de nouveaux rapports entre la politique et l'histoire. On n'a alors plus l'illusion d'un Empire romain. La politique traite d'une irréductible multiplicité d'États qui luttent et rivalisent dans une histoire limitée, même si elle est européenne et coloniale. Alors, l'individu n'intéresse l'État que dans la mesure où il peut faire quelque chose pour la puissance de l'État.

Quelles espèces de techniques politiques, quelles technologies de gouvernement peut-on mettre en œuvre pour faire de l'individu un élément de poids pour l'État ? Il faut connaître les nouvelles techniques qui permettent d'intégrer l'individu à l'entité sociale. C'est ainsi qu'est rédigée une somme exemplaire, une sorte de manuel encyclopédique réalisant un système d'usages pour des commis de l'État. L'auteur, N. de Lamare, rédige une encyclopédie en onze chapitres, intitulé *Traité de la police*. Avec un tel titre on s'attendrait au pire. Foucault succomberait-il à ses hantises ? Encore et toujours la domination. Point.

Dans ce traité encyclopédique, il est question de la religion, de la moralité, de la santé, des approvisionnements, des routes, des ponts et chaussées, des édifices publics, de la sécurité publique, des arts libéraux, du commerce, des fabriques, des domestiques et des hommes de peine, des pauvres. Telle était pour Lamare la pratique administrative de la France.

Les deux thèses de l'ouvrage sont les suivantes : ce qui est superflu pour les individus peut être indispensable pour l'État, et inversement. Le bonheur des individus est un objet politique. Le bonheur des individus devient une nécessité pour la survie de l'État. Le bonheur, et par là le mieux-être, devient une condition et plus simplement une conséquence. Par le bonheur des hommes se réalise un facteur de puissance de l'État. A la même période, en Allemagne, on distingue la police (*die Polizei*) de la politique (*die Politik*). Paradoxalement, *die Politik* est une tâche négative, elle fait respecter la loi à l'intérieur d'un État, par l'armée à l'extérieur, tandis que *die Polizei* revêt une mission positive : accroître en permanence la production de quelque chose de nouveau, censé consolider la vie civique et la puissance de l'État.

Cette technologie politique commencée au XVIIIe siècle, loin de s'achever avec le siècle des Lumières, se poursuit en se transformant aux XIXe et XXe siècles. En 1976[23], lors d'une conférence sur l'histoire de la médecine à l'Institut de médecine sociale à

---

23. IV, 40.

l'université de Rio de Janeiro, Foucault rend compte des variations du concept de technologie politique, de biopolitique.

Dans ce texte, il est question du plan Beveridge qui, en Grande-Bretagne, crée des modèles pour l'organisation de la santé au lendemain de la Seconde Guerre mondiale. Ce plan date de 1942, date symbolique puisque simultanément on assiste au carnage de quarante millions de personnes, et on proclame le droit imprescriptible à la santé.

Au XVIIIe siècle, l'individu en bonne santé se trouvait au service de l'État, entre 1942 et 1945, à l'inverse, c'est l'État qui se met au service de l'individu afin de lui assurer une bonne santé. Celle-ci entre dans le champ de la macro-économie. Elle devient un des grands postes budgétaires de l'État, quel que soit le système de financement. La naissance des grands systèmes de Sécurité sociale est possible, et la réussite d'une innovation scientifique et technique inespérée, c'est la découverte des antibiotiques.

Cependant, au lieu de voir se dissiper dans un avenir serein les risques de maladie et s'affirmer la préservation de la santé de tous et pour tous, à la faveur de l'égalité de l'accès aux soins,

« nous voyons au contraire que l'égalité de consommation médicale que l'on attendait de la Sécurité sociale est pervertie à la faveur d'un système qui tend chaque fois davantage à rétablir les grandes inégalités de la maladie et de la mort qui caractérisaient la société du XIXe siècle. Aujourd'hui, le droit à la santé égale pour tous est pris dans un engrenage qui le transforme en une inégalité. [...] Ceux qui tirent le plus grand profit de la santé sont les grandes entreprises pharmaceutiques. En effet, elles sont soutenues par le financement collectif de la maladie, par le truchement des institutions de la

Sécurité sociale qui obtiennent des fonds venant de personnes qui doivent nécessairement se protéger contre les maladies. Si cette situation n'est pas encore bien perçue par les consommateurs de santé[24], c'est-à-dire par les assurés sociaux, elle est en revanche parfaitement connue des médecins. Ils se rendent compte qu'ils sont devenus les intermédiaires quasi automatiques entre l'industrie pharmaceutique et la demande du client, c'est-à-dire qu'ils sont devenus de simples distributeurs de médicaments et de médication ».

4. Conclusion : du libéralisme comme réalisation fictive de l'individualité

Pourquoi ce déploiement politique des technologies ? Il nous est dit que l'histoire de la subjectivité est l'histoire de logiques contradictoires jamais affichées comme telles. Le bien-être est proclamé mais l'individu demeure « un atome social » qui, s'il n'est plus assujetti, peut seulement se réaliser dans une subjectivité relative de ses actes. La subjectivation est par conséquent une fiction volontaire depuis le XVIIIe siècle. Quelles que soient les modalités mises en œuvre, le processus de désubjectivation est incertain. Il est seulement un espoir suspendu à des pratiques sociales et à des techniques qui elles-mêmes engendrent des savoirs. Ceux-ci font apparaître de nouveaux objets, de nouveaux concepts, ils font aussi naître des formes nouvelles de sujets et de sujets de connaissance[25].

---

24. IV, Ibidem. Nous étions en 1974, lorsque la conférence fut prononcée !
25. I, 695, et II, 538, *La Vérité et les Formes juridiques*, Cadernos, PUC, n° 16, juin 1974, conférence à l'Université pontificale catholique de Rio de Janeiro.

La construction de l'individualité est par conséquent aléatoire.

On a pu le dire, *Les Mots et les Choses* signe la mise à mort de l'homme en tant que nature humaine universelle, l'homme, était-il écrit alors pour clore le dernier chapitre qui traitait de la place et de la spécificité des sciences humaines dans une épistémologie générale, « l'homme donc est une invention dont l'archéologie de notre pensée montre aisément la date récente. Et peut-être la fin prochaine ».

On peut à l'inverse constater la place progressivement prise par le statut de la sujectivation dans l'élaboration des derniers écrits, subjectivation qui suppose le passage d'un sujet assujetti à un individu qui accéderait à une individualité construite au fil de la reconnaissance de pratiques intériorisées parce que choisies[26].

Somme toute, le sujet politique est le sujet *indivis* et non pas le sujet libéré. L'individu lui-même, si l'on dit que celui-ci se définit comme un être formant une unité à la fois distincte de toute autre et indivisible sous peine de perdre les propriétés qui constituent son unicité, n'est pas seulement un individu organique[27] ni un individu logique qui admet attributs et prédicats, mais qui ne peut être lui même prédicat[28]. L'individu est produit par ses mécanismes, ses techniques (la médecine, la psychiatrie, etc.), qu'elles soient subies ou choisies. Mais il ne peut être une entité hors de l'histoire, une entité stable, un point de référence. « L'individu ne doit pas être conçu

---

26. Pierre Hadot, *Réflexions sur la notion de culture de soi* in *Michel Foucault, philosophe,* Rencontre internationale, Paris, les 9, 10 et 11 janvier 1988.
27. Canguilhem, *La Connaissance de la vie,* Vrin.
28. Leibniz, *Discours de Métaphysique,* § 8, 43, Vrin.

comme une sorte de noyau élémentaire, d'atome primitif, un matériau inerte et multiple sur lequel le pouvoir se fixe ou qu'il frappe de manière aléatoire. En fait, c'est un des effets premiers du pouvoir que certains corps, certains gestes, certains discours, certains désirs sont identifiés et constitués en tant qu'individus. L'individu n'est pas le vis-à-vis du pouvoir, c'est, je le crois, l'un de ses effets premiers[29]. »

Autrement dit les relations et l'élaboration distinctes des relations nouées par les sujets avec une instance fabriquent l'individu, il n'est pas préétabli. On tire les conclusions suivantes : 1) l'individu n'est pas une prémisse ; 2) l'individu n'est pas un sujet d'actions continues et identiques à lui-même ; 3) l'individu n'est pas un donné.

Dans ce cas, ces actions ne tirent pas leur sens de leur attribution logique aussi bien que légale à ce sujet particulier. En d'autres termes, elles ne sont pas voulues par un sujet particulier qui rend ces actions intelligibles à un observateur extérieur, qui les associera à une intention ou à tout autre processus de choix; ou qui pourra faire de celles-ci des objets de sanctions. En conséquence, on ne peut considérer les individus comme une population d'individus ou d'agents ou d'acteurs préconstruits dont chacun est porteur d'intérêts qu'il cherchera à faire valoir. Au contraire, l'individu est une construction à découvrir en fonction des techniques qui le façonnent à la faveur d'opérations et d'événements multiples, dont l'unité de sens n'est guère évidente. Cependant il n'y a pas ici de victime de ces appareillages, parce que justement, l'individu n'est pas plus une prémisse qu'un substrat porteur d'intérêts vrais clairement identifiables. C'est bien la difficulté méthodologique.

---

29. Power/Knowledge, 98.

Un certain nombre de conséquences importantes dérivent de cette conception.

L'une d'elles concerne la conception de l'action et de la liberté. Le support de l'action libre ne peut pas être identifié à l'individu porteur d'intérêts et poursuivant certaines fins, ou même à un individu dit responsable.

Ce qui s'oppose au pouvoir et sort de l'épreuve libre ou assujetti (normalisé) : ce sont des actes, des gestes, des états de l'esprit ou du corps. C'est parmi eux que l'on trouve le matériau réfractaire, résistant insoumis qui contribue à constituer des individualités.

Si l'individualité peut être considérée d'un point de vue positif, comme élaboration particulière de contre-techniques en revanche, la liberté est négative : elle est par définition contestation, indocilité, indiscipline, insoumission, pouvoir de dire « non ».

A. De la constitution de la liberté comme ambiguïté critique

La « subjectivation » est le processus par lequel un individu construit sa liberté en s'affranchissant, et en se donnant un gouvernement de soi improbable du fait de la sophistication des techniques politiques. Pour que cette possibilité ait lieu, il faut supposer qu'un acte libre ne soit pas déjà constitué, mais qu'il ait à s'élaborer.

« La liberté est une pratique. Il peut donc toujours exister, en fait, un certain nombre de projets qui visent à modifier certaines contraintes, à les rendre plus souples, ou même à les briser, mais aucun de ces projets ne peut, simplement par sa nature, garantir que les gens sont automatiquement libres. La liberté des hommes n'est jamais assurée par les institutions et les lois qui ont pour fonction de la garantir. C'est la raison pour laquelle on peut tourner ces lois et ces institutions. Non pas parce qu'elles sont ambiguës, mais parce que la liberté est ce qui doit s'exercer. Aussi, […] je pense qu'il n'appartient jamais à la structure des choses de garantir l'exercice de la liberté. La garantie de la liberté est la liberté[30]. »

Ces deux dernières phrases pourraient faire l'objet d'une objection et inscrivent Foucault dans une tradition et une conception libérale de la liberté. A ceci près que si la garantie de la liberté est la liberté, il faut qu'elle soit légitimement donnée comme garantie juridique, c'est-à-dire dans « la structure des choses ». A cet égard, la résolution apportée par Locke avec sa *rule of law* est imparable. La performance que réussit l'État de *rule of law* n'est pas de limiter la coercition étatique au minimum nécessaire pour maintenir l'ordre, ce qui serait une indétermination théorique. Locke parvient à supprimer totalement la coercition. La liberté, dans l'État de droit, est un absolu.

Il semble que Foucault n'assume pas l'ensemble des conséquences induites par la subjectivation. S'il s'agit de constituer la liberté lors d'un processus, il faudrait le rapprocher de l'hypothèse hayekienne de constitution de la liberté[31].

Constituer la liberté est, comme le souligne Philippe Nemo dans son introduction à *Constitution de la liberté*, se placer dans une *constitutio libertatis* par laquelle Henry Bracton, juriste anglais du XIIIe siècle, transcrit l'expression *constitutio libertatis* et qualifie la Grande Charte de Jean sans Terre de 1215[32]. Il ne s'agit

---

[30]. IV, 275, in *Espace, Savoir, Pouvoir*, Skyline, mars 1982.

[31]. On se référera à Hayek et à sa *Constitution de la Liberté* (1960). On mettra de côté *Droit, Législation et Liberté* (1973, 1976, 1979), ainsi que *La Présomption fatale* (1988).

[32]. *Constitutio*, en latin : complexion, organisation, essence de la liberté et son *modus operandi*.

de rien de moins que d'une philosophie de la liberté.

« Si la philosophie est le mot juste pour désigner le champ où se rencontrent la théorie politique, l'éthique et l'anthropologie », comme le soutient Hayek, la constitution de la liberté oblige à réaliser une étude générale de ce qu'est la liberté dans l'ensemble des relations sociales au sein desquelles elle peut s'épanouir : les relations politiques certes, mais tout autant les relations morales. Foucault à la fois se détache de ce projet et s'en approche.

Bien évidemment le projet hayekien est différent de celui de Foucault et ceci pour plusieurs raisons. Hayek stipule la nécessité d'une définition de la liberté 1° afin qu'elle puisse s'exprimer dans un cadre constitutionnel. Il met par conséquent en relation l'opportunité d'une acception de la liberté qui préside à tout exercice social du libéralisme, et le cadre institutionnel de cette liberté. De fait, il se réapproprie logiquement *the rule of law* de Locke ; d'une part, le but de Hayek est de décrire un idéal, Foucault s'en tient aux pratiques ; d'autre part, Hayek recherche un cadre définitionnel stable afin d'afficher sa position théorique à l'intérieur même des différentes tendances libérales.

Quant aux contours définitionnels, ils sont clairs. L'exercice de la liberté chef Hayek ne comprend pas les rapports de l'homme avec la nature, mais *les rapports des hommes entre eux*. Si l'on appelle coercition la soumission forcée d'un homme à la volonté arbitraire de l'autre, la liberté se définira comme le contraire de la coercition, donc comme le fait de n'être pas soumis à la volonté arbitraire d'autrui. Cependant, dans une société où les actions des uns et des autres se croisent et risquent à chaque instant d'entrer en conflit, il ne peut y avoir de paix et de coopération efficace que si chacun s'abstient de certains types de conduite. La loi délimite cette prohibition ; et elle peut le faire parce qu'elle est le fruit d'une longue tradition qui, par essai et erreur, a fini par identifier les types d'action qui se révèlent nuisibles à long terme. Une acception morale et juridique de la liberté suffit pour constituer la liberté alors que la liberté politique, si on s'en inquiète en premier lieu, entretient une confusion. On appelle en effet « liberté politique » la participation des hommes au choix de leur gouvernement, au processus de législation, et au contrôle de l'administration. Elle est une transposition du concept hayekien de liberté à des groupes d'hommes considérés comme un tout, qui leur donnerait une liberté collective. Mais un peuple libre en ce sens-là n'est pas nécessairement un peuple d'hommes libres ; et il n'est pas nécessaire non plus que quelqu'un ait part à cette liberté collective pour être libre individuellement.

La recherche d'un lien entre adhésion à l'ordre politique et liberté individuelle est l'une des sources de confusion habituelle sur la signification de la liberté, même s'il va de soi que, chacun est fondé à « identifier la liberté avec le processus de participation active aux pouvoirs publics et à la confection publique des lois ».

L'application du concept de liberté à une collectivité, et non à des individus, est compréhensible lorsque nous parlons de la volonté d'un peuple de rejeter un joug étranger et de forger son propre destin. En ce sens, nous employons « liberté » pour signifier l'absence de contrainte sur un peuple comme un tout. Les partisans de la liberté individuelle ont généralement eu de la sympathie pour de telles aspirations à la liberté nationale, et cela a conduit à l'alliance constante, mais difficile, entre les mouvements libéraux et nationaux au cours du XIXe siècle. Bien que le concept d'indépendance nationale soit l'analogue de celui de liberté individuelle, il n'est néanmoins pas identique, et la lutte pour assurer la première n'a pas toujours favorisé la seconde.

Le projet de Hayek s'identifie à une stabilisation du cadre définitionnel. La polymorphie du libéralisme l'astreint à ce travail de définition[33].

Des acceptions différentes, construites au fil de

---

[33]. Si le libéralisme signifiait encore ce que le terme évoquait pour l'historien britannique qui, en 1827 pouvait parler de la révolution de 1688 comme « du triomphe de ces principes que, dans le langage d'aujourd'hui on nomme libéralisme ou constitutionnalisme » ou si on pouvait encore avec Lord Acton, parler de Burke, Macaulay et Gladstone comme des trois plus grands libéraux, ou encore Harold Laski, Hayek serait fier d'être rangé sous ce nom. Or, remarque Hayek, et c'est aujourd'hui une lapalissade, la majorité des libéraux dits du Continent défendaient des idées auxquelles ces hommes étaient vigoureusement opposées, et étaient animés du désir d'imposer au monde un modèle rationnel préconçu et non la volonté de créer des perspectives d'un développement libre. Il en va de même pour ce que l'on appelle le « libéralisme » en Angleterre depuis Lloyd George. Quant aux États-Unis, il est devenu presque impossible d'employer le mot « libéral », on lui a substitué le nom de « libertarien »... Terme qui d'après Hayek ne convient pas, étant trop artificiel. Il faudrait, explique-t-il, un mot qui évoque le *parti de la vie, le parti qui défend la croissance libre et spontanée*. De ce fait, Hayek choisit sa mouvance, celle qui lui est originaire, la souche première pourrait-on dire, celle des Whigs. « Ce sont les idéaux des Whigs anglais qui inspirèrent ce qui fut par la suite connu comme le mouvement libéral dans l'ensemble de l'Europe, et qui fournirent les concepts que les colons d'Amérique emportèrent avec eux et qui les guidèrent dans leur lutte pour l'indépendance ainsi que l'élaboration de leur Constitution. » Et Hayek d'affirmer avec force : « Je suis un "old Whig" impénitent, la forme la plus pure du "whiggisme" qui est représenté non pas par le radicalisme de Jefferson, ou par le conservatisme de Hamilton, ou de John Adams, mais par les idées de James Madison. »

l'histoire des mouvements libéraux, il apparaît comme étant nécessaire qu'une constitution de la liberté soit possible. En cela, Hayek hérite de Lincoln qui déclarait que « le monde n'a jamais eu de bonne définition du mot « liberté », et que le peuple américain aujourd'hui en a justement grand besoin. Nous nous déclarons tous pour la liberté, mais en employant le même mot, nous ne voulons pas dire la même chose [...]. Il y a là deux choses non seulement différentes mais incompatibles nommées du même mot : liberté juridiques, économiques et les nœuds complexes caractérisées par l'inflation de l'État providence. »

Les divergences et les enjeux sont clairement repérables entre une constitution de la liberté hayekienne et foucaldienne. Cependant, donner une priorité à une détermination négative et minimale de la liberté individuelle, est dans les deux cas s'attacher à laisser le terrain vierge pour que l'affirmation d'un acte libre soit possible. Et c'est en ce sens que Foucault peut être rapproché de Hayek mais aussi de toute une tradition qui pourrait s'instituer avec Hobbes[34].

---

34. Hobbes, *Léviathan,* Traité de la matière, de la forme et du pouvoir de la république ecclésiastique et civile, chapitre XXI, traduction François Fricaud, Éditions Sirey, 1971.

B. Vers une définition privative de la liberté

Si l'on stipule que la liberté est le contraire de la coercition, comme le fait de n'être pas soumis à la volonté arbitraire d'autrui, alors on conçoit la liberté privativement. En effet, dans le chapitre premier « Liberté, libertés » (§ 1 de la *Constitution de la liberté*), la liberté est absence de coercition.

En distinguant entre libertés (*liberty* et *freedom*), Hayek désigne une situation dont l'homme vivant parmi ses semblables peut espérer s'approcher de très près, mais qu'il ne peut s'attendre à réaliser parfaitement. La mission d'une politique de liberté devra minimiser la coercition, ou ses effets dommageables, bien qu'elle ne puisse l'éliminer tout à fait. Le sens premier de cette acception est facilement appréhendé dans le fait d'être esclave, donc assujetti, et dans la possibilité d'agir selon ses propres décisions et projets. Pourtant, remarque Hayek, cette conception de la liberté a souvent été traitée de vulgaire. Elle aurait pour l'économiste philosophe le mérite de se référer à une chose, et une seulement, à savoir un état qui est désirable pour des raisons différentes de celles qui nous font désirer d'autres choses appelées aussi liberté. De la sorte, la liberté se réfère à une relation des hommes avec leurs semblables, et elle est violée seulement lorsque des hommes recourent à la coercition envers autrui[35].

---

35. § 3, la liberté intérieure ou métaphysique est parfois appelée aussi « subjective ». La différence entre liberté intérieure et la liberté au sens d'absence de coercition était clairement perçue par les scolastiques, qui distinguaient nettement *libertas a neccessitae* et *libertas a coactione*. La liberté intérieure est sans doute plus proche de celle de liberté individuelle. Et de ce fait, on confond facilement

Cette conception de la liberté est donc étroitement dépendante de la coercition et de la manière dont on ne tombera pas sous le joug de la coercition.

Dans le § 7, intitulé *Liberté, coercition et droit*, Hayek affirme que sa représentation de la liberté dépend de la signification du concept de coercition, et qu'elle ne sera précise qu'avec elle.

« Par coercition, nous entendons le fait qu'une personne est tributaire d'un environnement et de circonstances tellement <u>contrôlés</u> [c'est moi qui souligne] par une autre qu'elle est obligée, pour éviter un dommage plus grand, d'agir non pas en conformité avec son propre plan, mais au service des fins de l'autre personne. »

Dans cette situation où elle est forcée par une autre, la personne n'est plus à même de se servir de son intelligence et de ses connaissances ni de poursuivre ses propres objectifs ou d'affirmer ses croyances, son autonomie se limite en fait à choisir le moindre mal. Souvenons-nous du propos de Foucault qui voyait s'échapper un esclave et qui déduisait ainsi que même dans un état de coercition avancé, l'idée de la fuite posait une frange de liberté.

Pour Hayek, la coercition est un mal parce qu'elle

---

l'une et l'autre. Or ce qui est en jeu « est le fait de savoir dans quelle mesure la personne est guidée dans ses actions, par sa propre volonté réfléchie, par sa raison, par ses convictions constantes, plutôt que par une impulsion momentanée ou une réaction aux circonstances. Le contraire de la liberté intérieure dès lors, n'est pas la coercition par autrui, mais l'influence excessive des émotions momentanées ou l'insuffisance d'énergie morale ou intellectuelle ».

« Cependant il existe une confusion entre la liberté intérieure et la « libre volonté » (*freedom of the will*). Le sophisme serait de dire, nous ne sommes libres que si nous faisons ce qu'en un certain sens nous devrions faire. La liberté intérieure et la liberté comme absence de coercition déterminent concurremment l'usage que la personne fera ou non de sa connaissance des choix possibles. »

134

prive l'individu de sa qualité de personne susceptible de penser et de juger, et le réduit au rang de simple instrument dans la poursuite des objectifs de quelqu'un d'autre. L'action libre suppose au départ l'existence d'une sphère connue dans laquelle les événements ne puissent être façonnés par un autre au point qu'il n'y ait plus d'autre choix que celui qu'impose cet autre. Toutefois la coercition ne saurait être totalement évitée dans la mesure où le seul moyen de l'empêcher consiste à menacer de l'employer, et c'est la fonction de l'État.

Dernier point de rapprochement avec Foucault : la liberté comme principe moral est un processus qui s'édifie très lentement[36]. En tant que tel, comme tout principe moral, il requiert d'être accepté comme une valeur en soi, comme un principe qui doit être respecté sans que l'on recherche les conséquences, bonnes ou non, de son application dans les cas concrets. En définitive le plaidoyer pour la liberté est un plaidoyer pour les principes, et contre l'opportunisme dans l'action collective. Cela revient à dire, que c'est le juge et non l'administrateur qui peut déclencher la coercition.

Lorsque Benjamin Constant, caractérisait le libéralisme comme le système des principes, il mettait en évidence ce qui demeure au cœur du débat : non seulement la liberté est un système dans lequel toute action (même d'instauration du pouvoir) est guidée par des principes, mais cet idéal ne peut être maintenu s'il n'est pas lui-même accepté comme un principe souverain, dominant chaque acte particulier de législation.

Foucault ne revendiquerait aucunement l'idée d'un principe souverain, mais s'il poussait jusqu'au bout, d'un

---

36. Hayek, ibidem, chapitre IV, « Liberté, raison et tradition », § 9, « La liberté en tant que principe moral ».

côté sa critique de la technologie politique, et de l'autre, l'affirmation des techniques de soi fabricatrices d'individualités, ne pourrait-on pas envisager des affinités avec le prix Nobel d'économie ? La similitude du propos ne lasse pas d'étonner : au § 10 de *La Constitution de la Liberté*, il est écrit : « Nous ne plaidons pas pour une abdication de la raison, mais pour un examen rationnel du domaine où la raison est opportunément chargée de commander. A l'opposé du rationalisme naïf qui traite notre raison, en son stade actuel, comme un absolu, nous voulons poursuivre l'effort amorcé par David Hume lorsqu'il tourna contre les Lumières leurs propres armes" et entreprit de « rabattre les prétentions de la raison en recourant à l'analyse rationnelle ». […] « Nous attacher à comprendre le rôle qu'elle joue en fait, et peut jouer, dans le mécanisme d'une société fondée sur la coopération de nombreux esprits distincts. Ce qui veut dire qu'avant de remodeler la société de façon intelligente, nous devons savoir comment elle fonctionne. »

Conclusion

La question du libéralisme traitée par Foucault est problématique. Le repérage qui a été effectué, ne saurait être exhaustif tant à l'intérieur de *Dits et Écrits* que dans un voisinage de problématiques extérieur au *corpus*. Nous tentons partiellement de rendre compte des ambiguïtés foucaldiennes.

La difficulté inhérente à l'introduction du terme « libéralisme » dans la pensée foucaldienne tient nous semble t-il à l'embarras du philosophe à jeter les principes d'une philosophie politique.

Sa philosophie politique trouve ses fondements en situant le statut d'un gouvernement, à la confluence du politique et de l'économique, du public et du privé (dans tous les sens du terme: gouvernement des autres, de soi et de soi par soi).

Cette configuration du champ politique, s'appuie sur une « historicité épistémique » implicite qui ne peut se faire qu'au prix d'une expansion des isomorphies entre savoirs, sciences et techniques. Le terme de « technoscience » pourrait rendre compte de ce développement.

Dans ce cas, on saisit mal la raison pour laquelle Foucault n'est pas allé plus avant dans l'architecture d'une épistémè, et de ses implications sociales et politiques.

Par ailleurs, rendre compte explicitement de la relation entre technologies politiques et techniques de soi, entre biopolitique et histoire de la sexualité, permettrait probablement de comprendre plus nettement ce qu'il entend par subjectivation. Si l'on avance que la subjectivation est le processus par lequel des sujets adviennent dans un « se gouverner soi-même », c'est-à-dire dans une individualité utilisant des procédures, alors comment peut-on se passer d'un concept reliant les sujets à leurs expériences ? Autrement dit, comment faire l'économie du statut de la pratique ? Comment faire l'économie des intérêts de la raison, voire même des rationalités ? Car la substitution de la pratique au singulier à des pratiques au pluriel ne se justifie pas d'elle-même.

Faudrait-il renouer rigoureusement avec un cadre transcendantal qui permettrait d'expliquer ce que signifie être libre et par conséquent comprendre l'action individuelle, collective, sociale? Faudrait-il convoquer des catégories élaborées par les sciences sociales, puis déterminer la validité de ces catégories, et leur champ d'appartenance en rétablissant la relation entre théorie et intérêts de la raison. C'est ce que réalise par exemple Habermas en dressant une typologie des sciences sociales. « Les sciences de l'expérience » expliquent les conditions d'un contrôle technique, en élaborant une épistémologie des moyens d'instrumentation. « Les sciences humaines » expriment les conditions de l'intercompréhension ; « les sciences praxéologiques » portent sur les conditions de l'émancipation (auto réflexion).

Sur les traces des *Mots et les Choses,* Foucault aurait pu explorer le cadre transcendantal tout autrement, en effectuant la jointure entre une pratique épistémologique (qu'est-ce que l'enquête en histoire, en ethnologie, en sociologie ?), une pratique de l'action considérée du point de vue politique et les pratiques de soi : qu'est-ce qu'une expérience politique, et qui en est l'acteur si l'on prétend que le moment libéral correspond à l'expansion de l'utilisation des savoirs ? Quels rapports peut-on instituer entre pratiques de soi, interdépendance de la production de savoirs et de celle des sujets connaissants et pratiquants ? Toutes ces questions sont laissées en suspens.

Le projet aurait cependant comporté un risque : celui de la philosophie au risque des sciences sociales et politiques. Et Foucault ne se lassait pas de l'entrevoir.

Table des matières

Introduction 9

SECTION I - INTRODUCTION DU TERME
DE « LIBERALISME » 23

1. *Parcours du terme dans Dits et Écrits* 25

2. *Enjeu de l'introduction du terme de*
   « libéralisme » 34
   A. D'une philosophie du pouvoir à une
   philosophie politique 34
   B. Pour de nouvelles catégories du
   politique 40

SECTION II - UNE CONCEPTION DU
LIBERALISME CRITIQUE ET ATYPIQUE 47

1. *Format du séminaire et inscription du*
libéralisme 52

1er moment. Du libéralisme comme rationalité
politique 52
   a. Définition de la « biopolitique » 52
   b. Qu'est-ce qu'une rationalité ? 53
   c. A propos de l'*Aufklärung* 55
   d. Qu'est-ce qu'une rationalité politique ? 61
   e. Qu'est-ce qu'une rationalité politique
   du libéralisme ? 66
2ème moment. Une règle interne 73
   a. Position du problème 73
   b. De la société et de la société civile 74
   c. La règle interne 79
   d. Le gouvernement 81

e. Gouvernement et gouvernementalité 82
f. Le gouvernement est l'« État de
gouvernement » 84
g. Un instrument critique de la réalité 91
h. La règle interne du libéralisme :
description ou validation ? 95

SECTION III - DE LA SUBJECTIVATION COMME
CONSTITUTION DE LA LIBERTE ? 103

1. Libéralisme et histoire de la sexualité :
hypothèses 105

2. Définitions sommaires : subjectivation,
sujet, individu, individualité 110
    A. Qu'est-ce que la « subjectivation » ? 110
    B. Pratiques et techniques 115
    C. Pratiques et technologies politiques :
retour sur un exemple, la « biopolitique » 118

3. La raison d'État est une technique qui
s'adresse aux individus 121

4. Conclusion : du libéralisme comme
réalisation fictive de l'individualité 124
    A. De la constitution de la liberté
comme ambiguïté critique 127
    B. Vers une définition privative de la
liberté. 133

Conclusion 137

Achevé d'imprimer par Corlet Numérique - 14110 Condé-sur-Noireau
N° d'Imprimeur : 28337 - Dépôt légal : décembre 2005 - *Imprimé en France*